P3

7세~초1 세 수의 덧셈과 뺄셈

변화를 정확히 이해해야 합니다.

수학의 기본이면서 이제는 필수가 된 연산 학습, 그런데 왜 우리 아이들은 많은 학습지를 풀고도 학교에 가면 연산 문제를 해결하지 못할까요?
지금 우리 아이들이 학습하는 교과서는 과거와는 많이 다릅니다. 단순 계산력을 확인하는 문제 대신 다양한 상황을 제시하고 상황에 맞게 문제를 해결하는 과정을 평가합니다. 그래서 단순히 계산하여 답을 내는 것보다 문장을 이해하고 상황을 판단하여 스스로 식을 세우고 문제를 해결하는 복합적인 사고 과정이 필요합니다.
그림을 보고 상황을 판단하는 능력, 그림을 보고 상황을 말로 표현하는 능력, 문장을 이해하는 능력 등 상황 판단 능력을 길러야 하는 이유입니다.

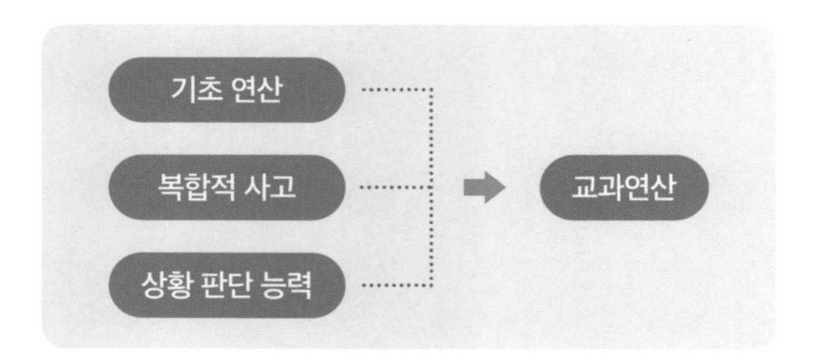

연산 원리를 학습함에 있어서도 대표적인 하나의 풀이 방법을 공식처럼 외우기만 해서는 지금의 연산 문제를 해결하기 어렵습니다. 연산 학습과 함께 다양한 방법으로 수를 분해하고 결합하는 과정, 즉 수 자체에 대한 학습도 병행되어야 합니다.
교과연산은 연산 학습과 함께 수 자체를 온전히 학습할 수 있도록 단계마다 '수특강'을 구성하고 있습니다.
계산은 문제를 해결하는 하나의 과정으로서의 의미가 큽니다.

학교에서 배우게 될 내용과 직접적으로 관련이 있는 교과연산으로 가장 먼저 시작하기를 추천드립니다.
요즘 연산은 교과 연산입니다.

"계산은 그 자체가 목적이 아닙니다. 문제를 해결하는 하나의 과정입니다."

하루 **한** 장, **75**일에 완성하는 **교과연산**

한 단계는 총 4권으로 수를 학습하는 0권과 연산을 학습하는 1권, 2권, 3권으로 구성되어 있습니다.

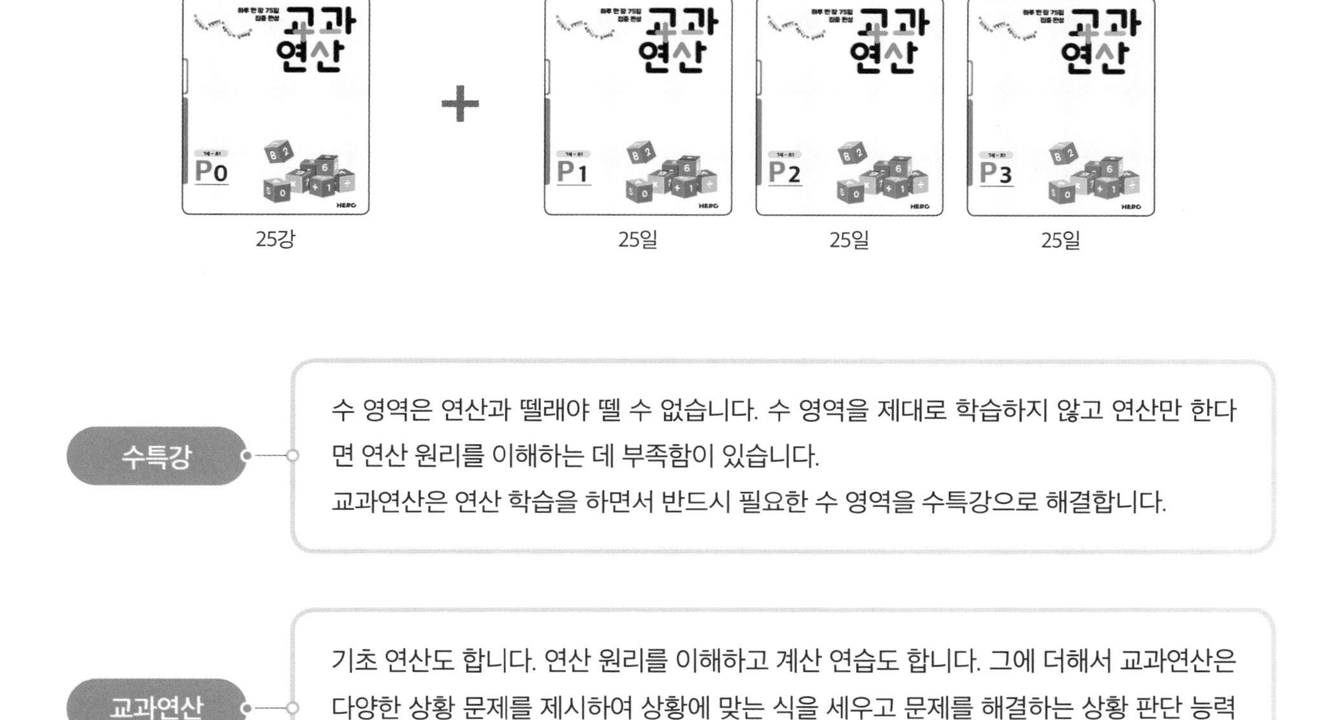

수특강

수 영역은 연산과 뗄래야 뗄 수 없습니다. 수 영역을 제대로 학습하지 않고 연산만 한다면 연산 원리를 이해하는 데 부족함이 있습니다.
교과연산은 연산 학습을 하면서 반드시 필요한 수 영역을 수특강으로 해결합니다.

교과연산

기초 연산도 합니다. 연산 원리를 이해하고 계산 연습도 합니다. 그에 더해서 교과연산은 다양한 상황 문제를 제시하여 상황에 맞는 식을 세우고 문제를 해결하는 상황 판단 능력을 길러줍니다.

“연산을 이해하기 위해서는 수를 먼저 이해해야 합니다.”

원리는 기본, 복합적 사고 문제까지 다루는 교과연산

원리

수와 연산의 원리를
이해하고 연습합니다.

복합적 사고

연산 원리를 이용하여
다양한 소재의 복합적
문제를 해결합니다.

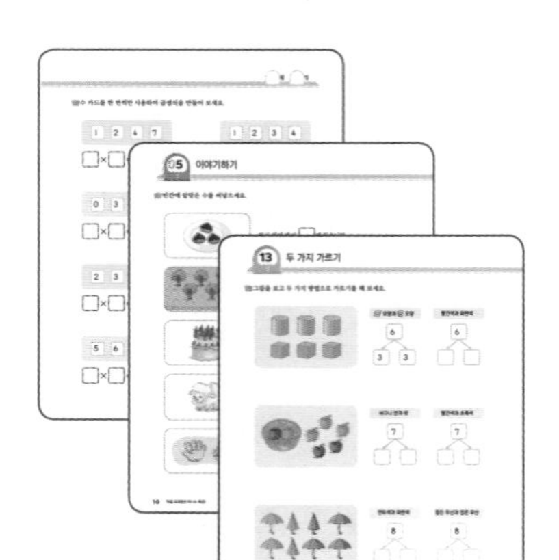

상황 판단 문제

문장 이해력을 기르고
상황에 맞는 식을 세워
문제를 해결합니다.

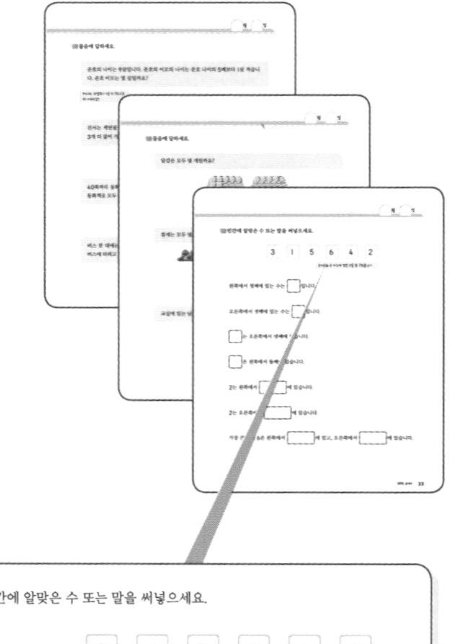

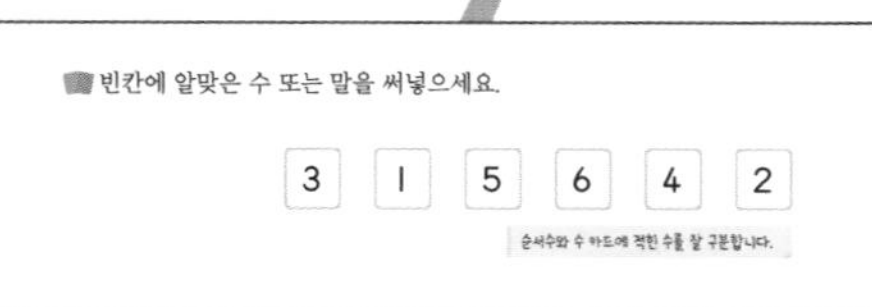

[체크 박스]
문제를 해결하는 데 도움이
되는 방향을 제시합니다.

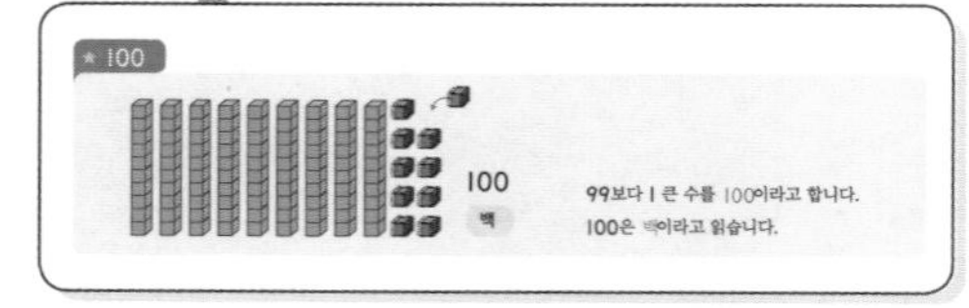

[개념 포인트]
꼭 필요한 기본 개념을
설명합니다.

"교과연산은 꼬이고 꼬인 어려운 연산이 아닙니다.
일상 생활 속에서 상황을 판단하는 능력을 길러주는 연산입니다."

하루 **한** 장, **75**일 집중 완성 교과연산 **묻고 답하기** Q & A

Q1 왜 교과연산인가요?

지금의 교과서는 과거의 교과서와는 많이 다릅니다. 하지만 아쉽게도 기존의 연산학습지는 과거의 연산 학습 방법을 그대로 답습하고 변화를 제대로 반영하지 못하고 있습니다. 교과연산은 교과서의 변화를 정확히 이해하고 체계적으로 학습을 할 수 있도록 안내합니다.

Q2 다른 연산 교재와 어떻게 다른가요?

교과연산은 변화된 교과서의 핵심 내용인 상황 판단 능력과 복합적 사고력을 길러주는 최신 연산 프로그램입니다. 또한 연산 학습의 바탕이 되는 '수'를 수특강으로 다루고 있어 수학의 기본이 되는 연산학습을 체계적으로 학습할 수 있습니다.

Q3 학교 진도와는 맞나요?

네, 교과연산은 학교 수업 진도와 최신 개정된 교과 단원에 맞추어 개발하였습니다.

Q4 단계 선택은 어떻게 해야 할까요?

권장 연령의 학습을 추천합니다.
다만, 처음 교과 연산을 시작하는 학생이라면 한 단계 낮추어 시작하는 것도 좋습니다.

Q5 '수특강'을 먼저 해야 하나요?

'수특강'을 가장 먼저 학습하는 것을 권장합니다. P단계를 예로 들어보면 P0(수특강)을 먼저 학습한 후 차례대로 P1~P3 학습을 진행합니다. '수특강'은 각 단계의 연산 원리와 개념을 정확하게 이해하고 상황 문제를 해결하는 데 디딤돌이 되어줄 것입니다.

이 책의 차례

51일~55일

1주차 세 수의 덧셈

51일 더하고 더하기

그림을 보고 계산해 보세요.

$2+1=\boxed{3}$

$\boxed{3}+3=\boxed{6}$

$2+1+3=\boxed{6}$

 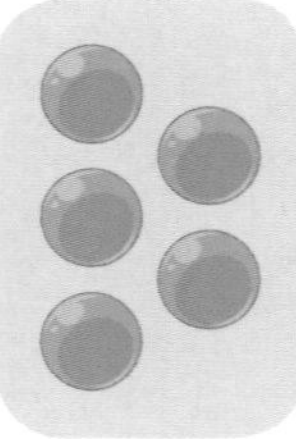 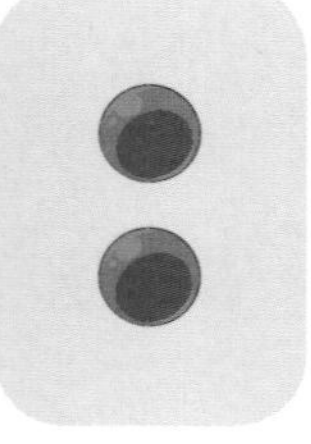

$1+5=\square$

$\square+2=\square$

$1+5+2=\square$

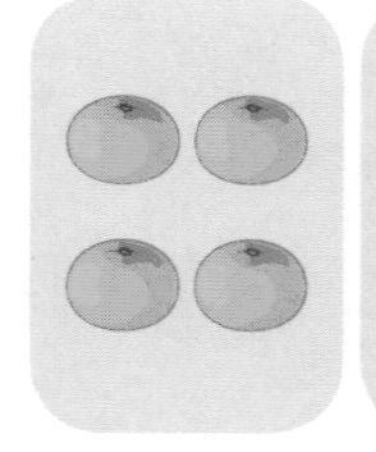  

$4+2=\square$

$\square+1=\square$

$4+2+1=\square$

 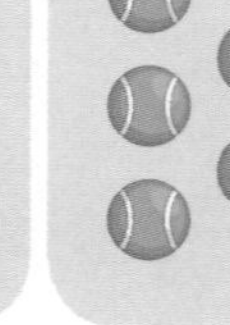  

$2+5=\square$

$\square+2=\square$

$2+5+2=\square$

○를 그려 계산해 보세요.

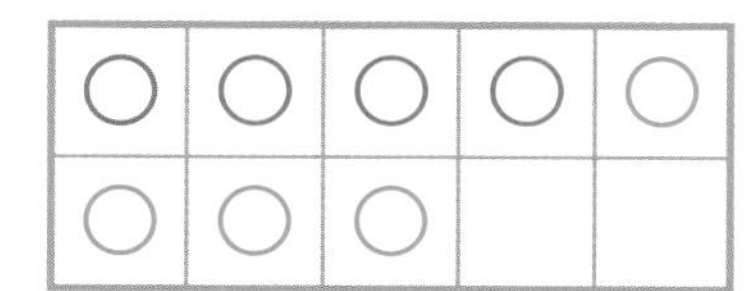

세 수만큼 ○를 그리고 그린 ○를 모두 셉니다.

$1+3+4=$ 8

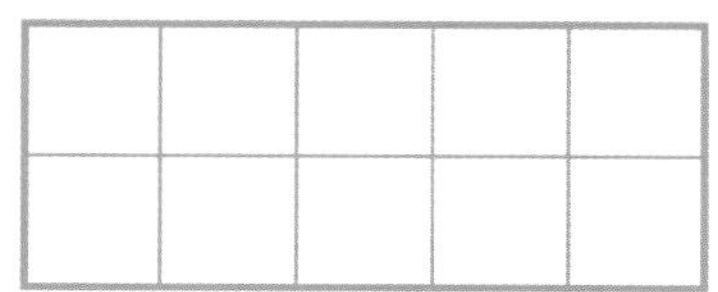

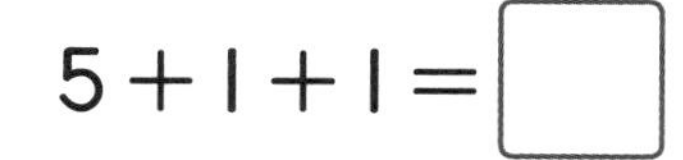

$5+1+1=$ □

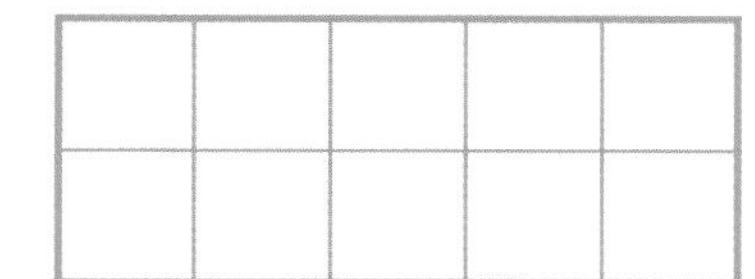

$2+4+2=$ □

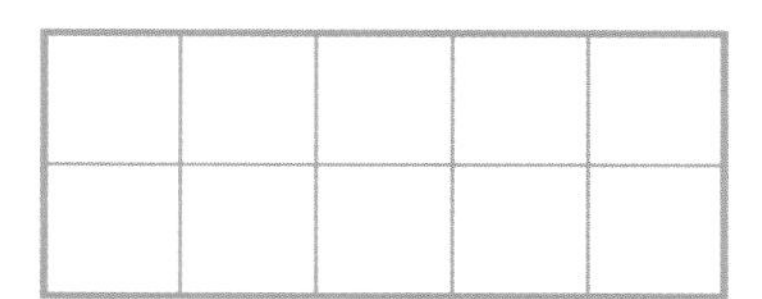

$3+2+1=$ □

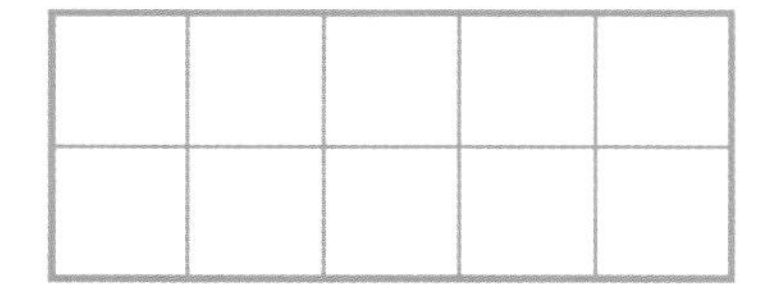

$3+5+1=$ □

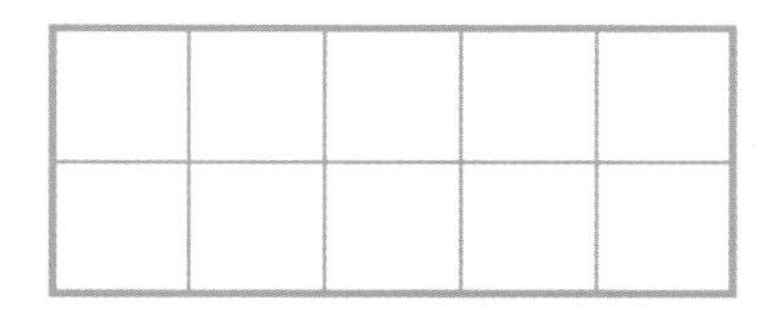

$4+1+3=$ □

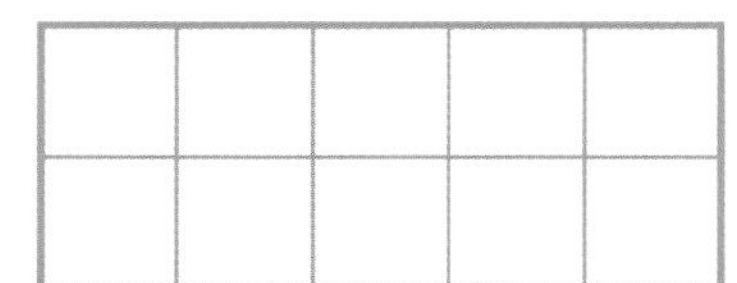

$3+3+3=$ □

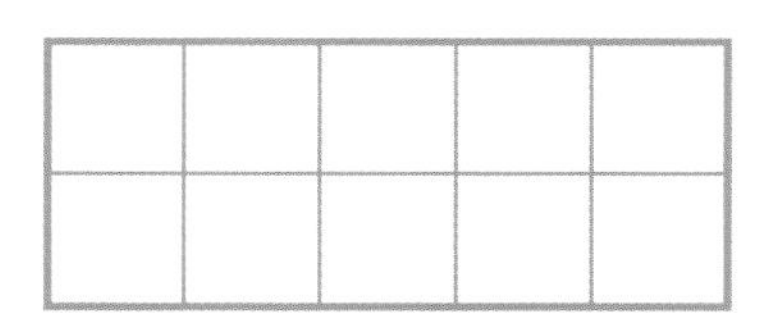

$2+2+3=$ □

세 수의 덧셈 (1)

계산해 보세요.

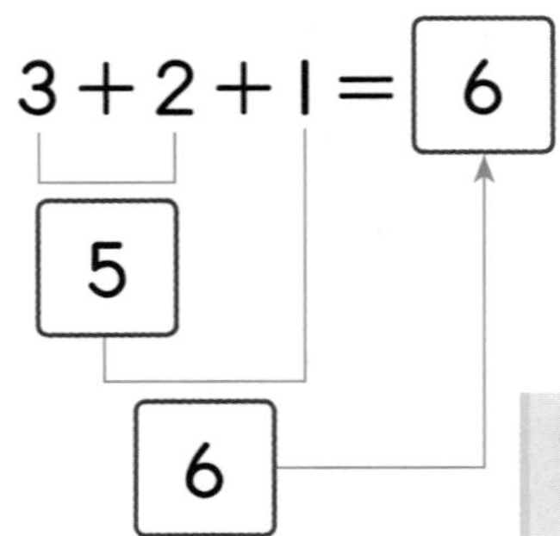

세 수의 덧셈은 앞에서부터 차례로 계산합니다.

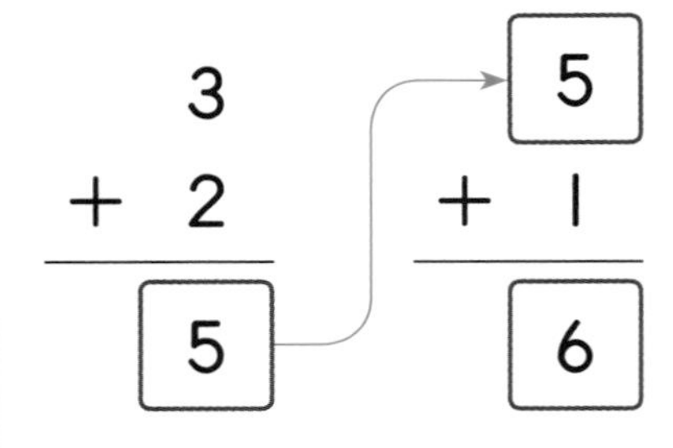

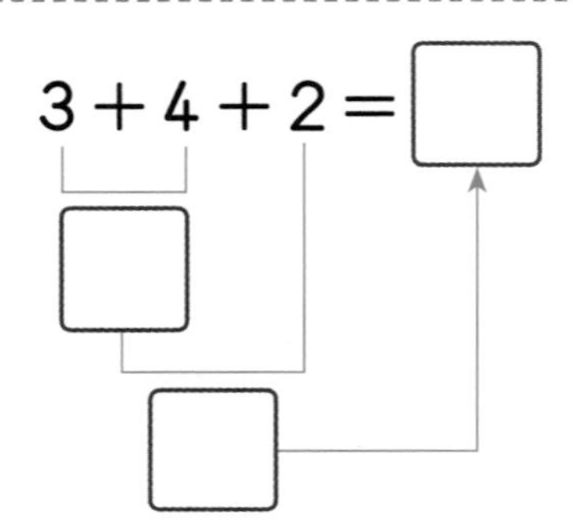

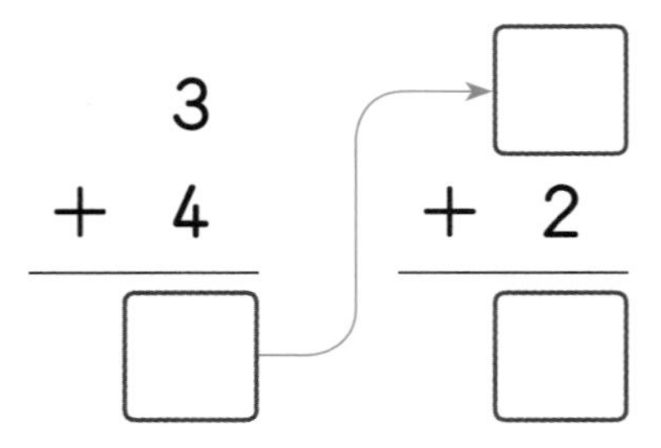

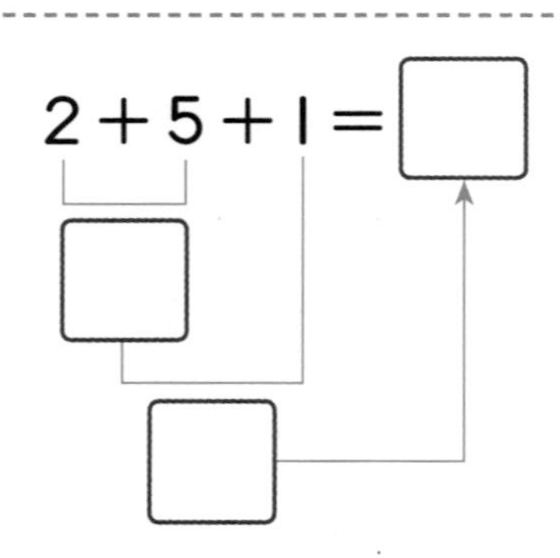

$$\begin{array}{r} 2 \\ +\ 5 \\ \hline \square \end{array} \rightarrow \begin{array}{r} \square \\ +\ 1 \\ \hline \square \end{array}$$

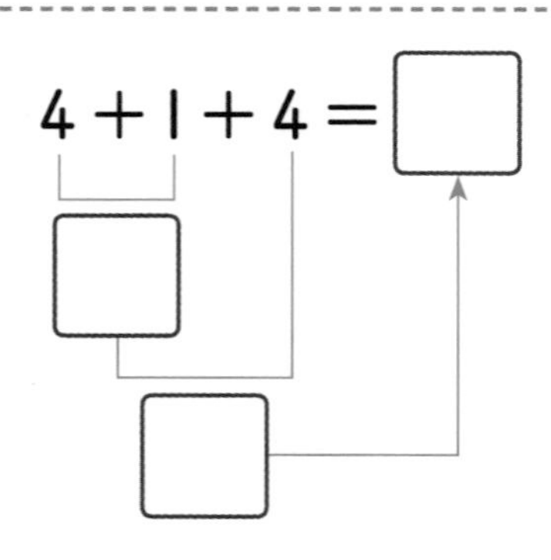

$$\begin{array}{r} 4 \\ +\ 1 \\ \hline \square \end{array} \rightarrow \begin{array}{r} \square \\ +\ 4 \\ \hline \square \end{array}$$

계산해 보세요.

$4+2+1=\square$

(6, 7)

$1+1+3=\square$

$3+1+3=\square$

$2+4+1=\square$

$6+1+2=\square$

$1+4+3=\square$

$2+2+1=\square$

$3+2+2=\square$

$1+2+4=\square$

$5+1+2=\square$

$2+1+3=\square$

$7+1+1=\square$

$4+2+2=\square$

$2+3+4=\square$

세 수의 덧셈 (2)

빈칸에 알맞은 수를 써넣으세요.

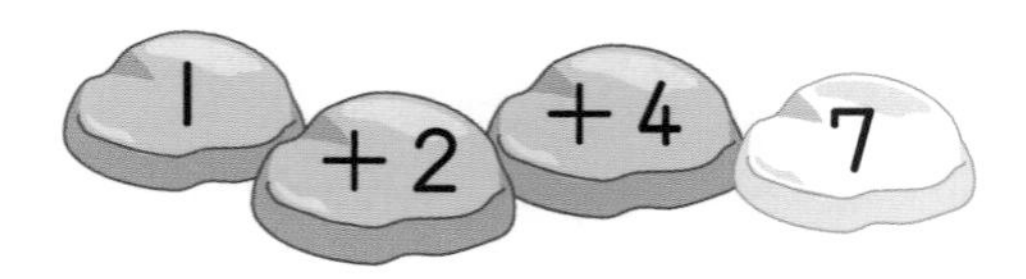

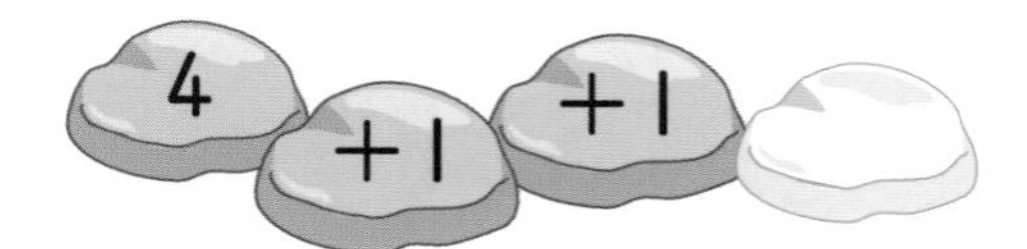

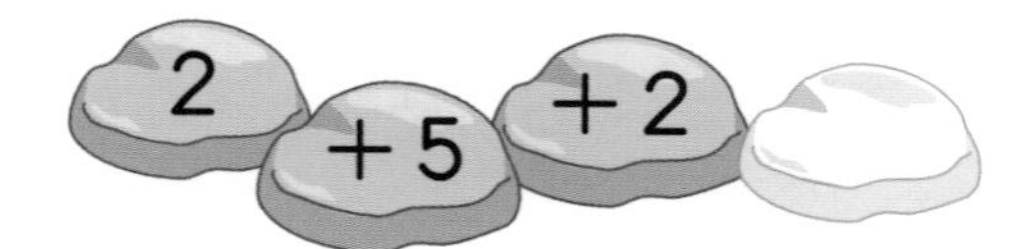

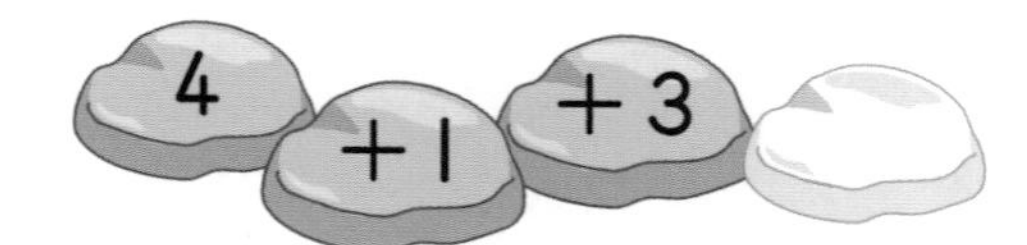

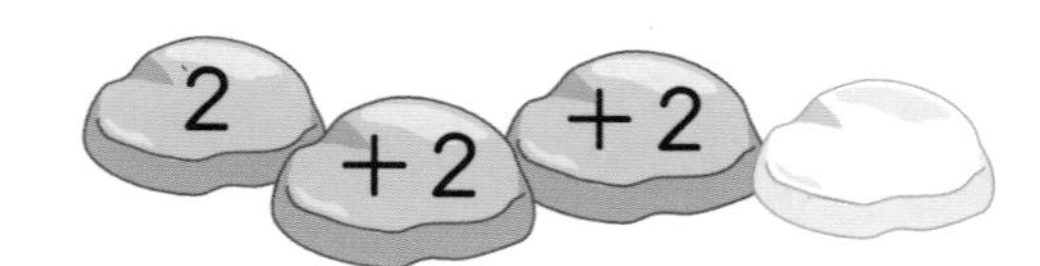

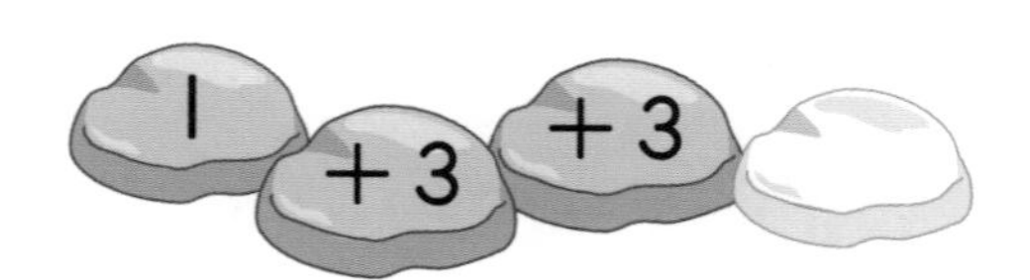

알맞게 이어 보세요.

$1+3+4$ $4+2+3$ $2+1+2$ $2+3+1$

4 5 6 7 8 9

$2+4+2$ $1+1+2$ $4+4+1$ $3+2+2$

4 5 6 7 8 9

합만큼 색칠하기

계산 결과만큼 색칠해 보세요.

3+2+2

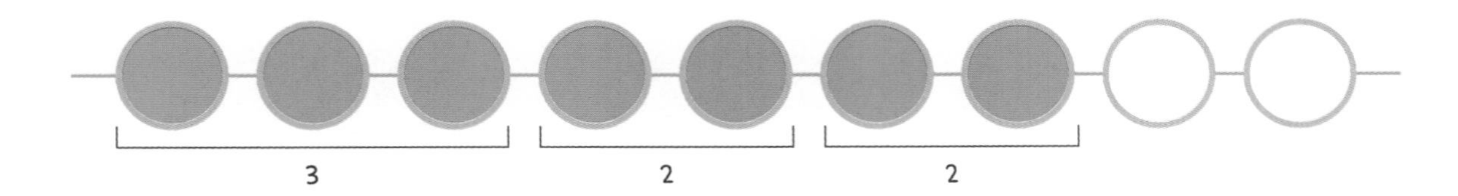

1+2+1

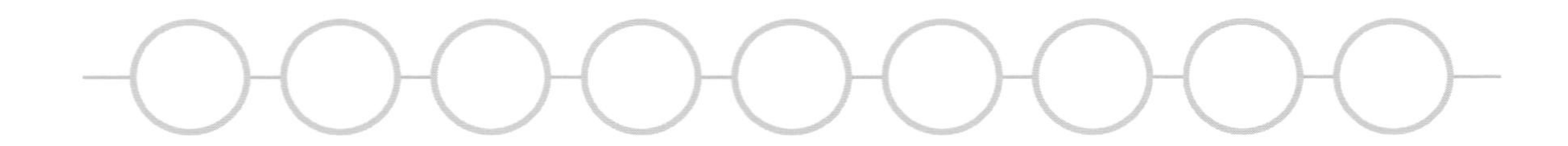

1+4+4

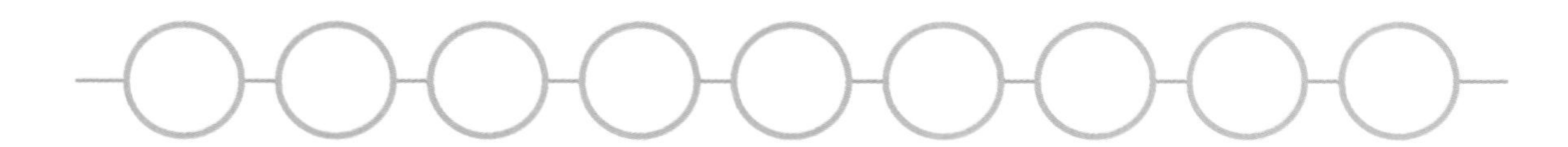

2+3+2

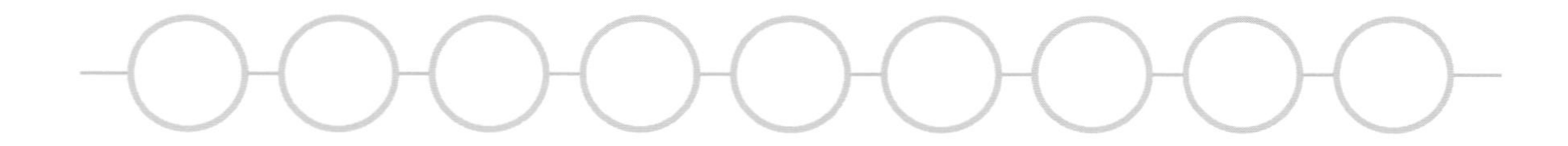

구하는 수만큼 구슬을 색칠해 보세요.

도영이는 구슬을 2개 가지고 있고, 민지는 3개, 정우는 1개 가지고 있습니다.
세 사람이 가진 구슬 수만큼 색칠해 보세요.

세은이는 구슬 3개를 가지고 있었는데 구슬 3개를 더 사고, 친구에게서 1개를 받았습니다. 세은이가 가진 구슬 수만큼 색칠해 보세요.

파란색 구슬이 1개, 보라색 구슬이 5개, 노란색 구슬이 2개 있습니다.
전체 구슬 수만큼 색칠해 보세요.

55일 덧셈식 만들기

그림에 알맞은 식을 만들고 계산해 보세요.

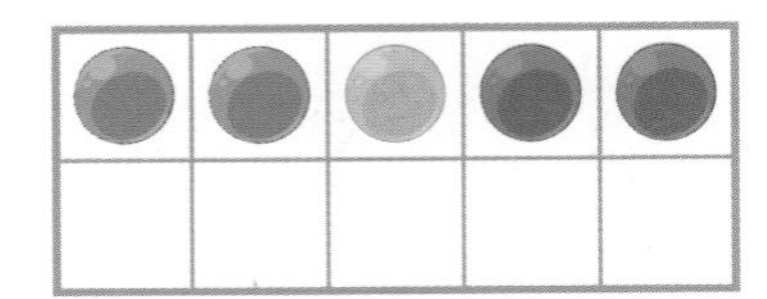

$2+1+2=\square$

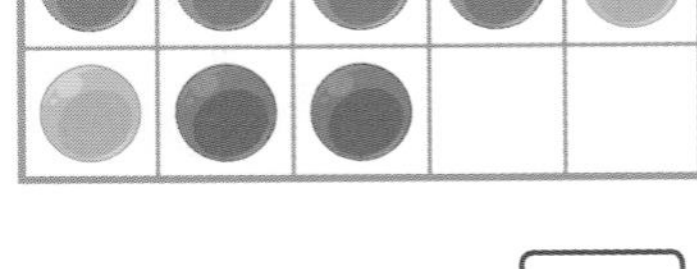

$4+2+2=\square$

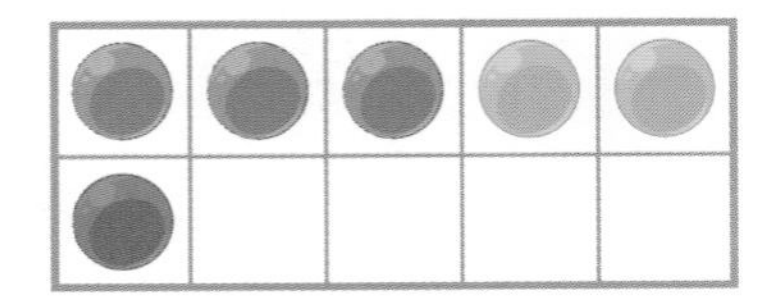

$3+2+\square=\square$

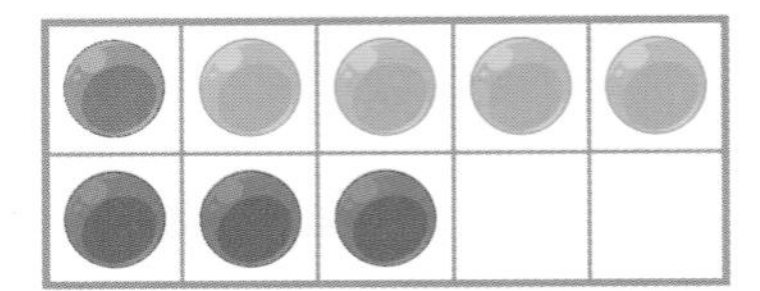

$1+4+\square=\square$

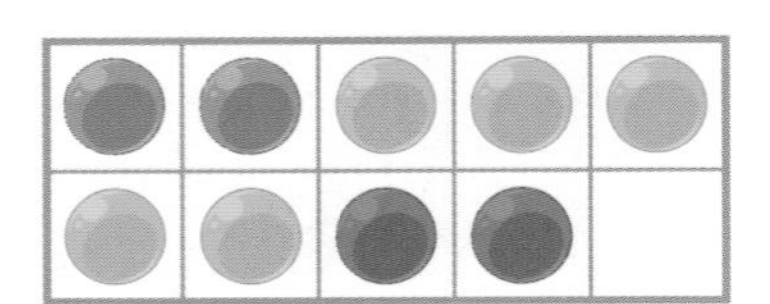

$2+\square+\square=\square$

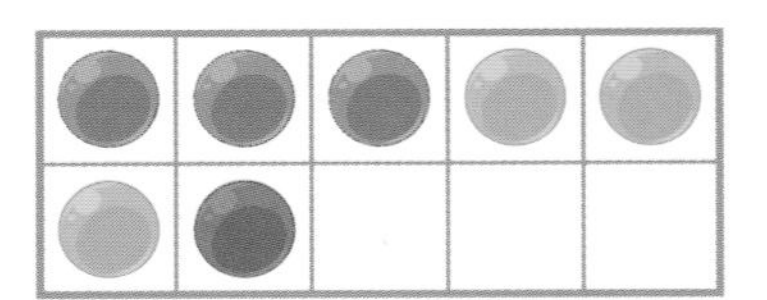

$3+\square+\square=\square$

$\square+\square+\square=\square$

$\square+\square+\square=\square$

그림을 보고 식을 써 보세요.

2 + 2 + □ = □

3 + 5 + □ = □

1 + □ + □ = □

4 + □ + □ = □

□ + □ + □ = □

□ + □ + □ = □

빈칸에 알맞은 수를 써넣고 식을 써 보세요.

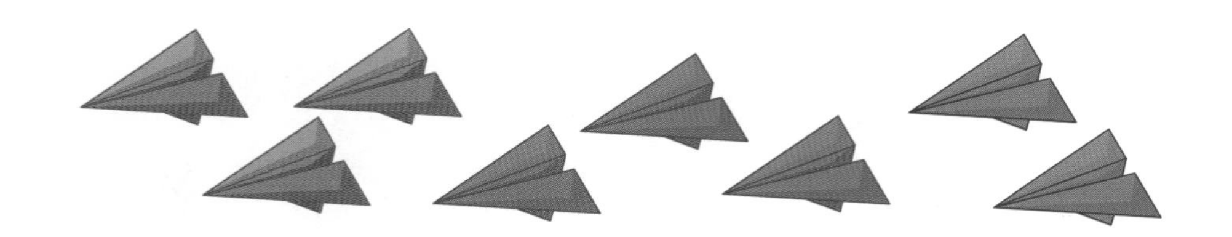

종이비행기가 빨간색이 □개, 보라색이 □개, 파란색이 □개 있습니다. 종이비행기는 모두 □개입니다.

□ + □ + □ = □

축구 경기 결과	
1반	2반
2	1

축구 경기 결과	
1반	3반
1	3

축구 경기 결과	
1반	4반
4	0

1반은 2반과의 경기에서 □골, 3반과의 경기에서 □골, 4반과의 경기에서 □골 넣었습니다. 1반이 넣은 골은 모두 □골입니다.

□ + □ + □ = □

56일 ~ 60일

2주차 세 수의 뺄셈

56일 빼고 빼기

그림을 보고 계산해 보세요.

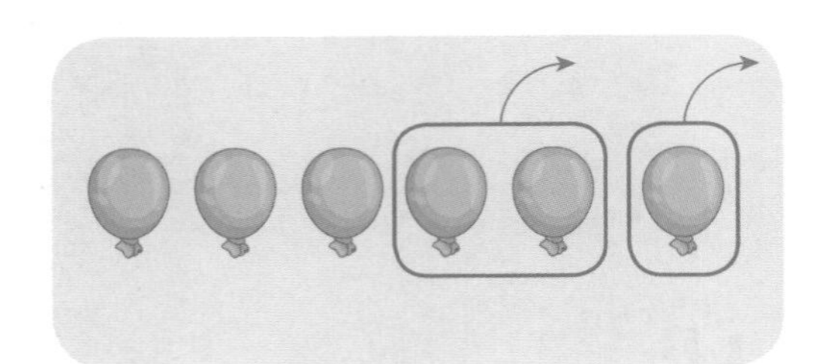

$6-1=\boxed{5}$

$\boxed{5}-2=\boxed{3}$

$6-1-2=\boxed{3}$

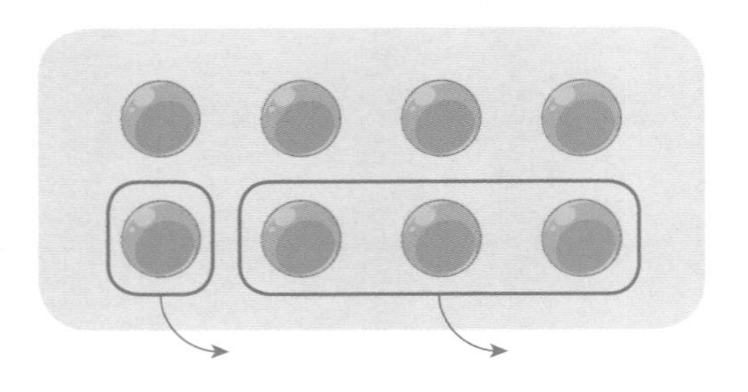

$8-3=\boxed{}$

$\boxed{}-1=\boxed{}$

$8-3-1=\boxed{}$

$7-2=\boxed{}$

$\boxed{}-4=\boxed{}$

$7-2-4=\boxed{}$

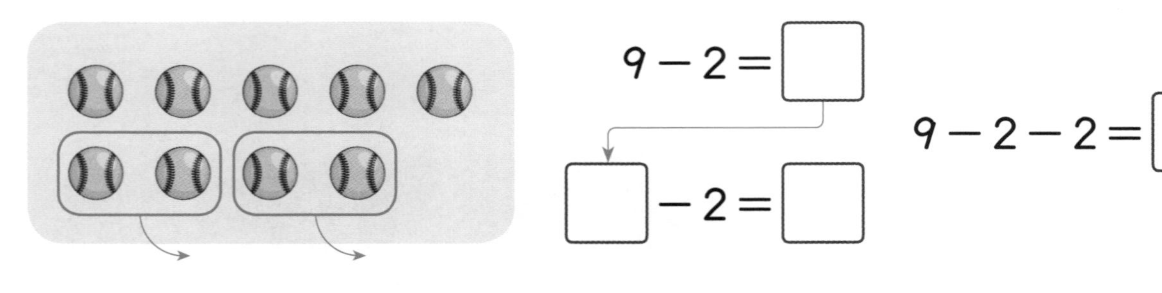

$9-2=\boxed{}$

$\boxed{}-2=\boxed{}$

$9-2-2=\boxed{}$

■ ○과 /을 그려 계산해 보세요.

가장 앞의 빼지는 수만큼 ○를 그리고 빼는 두 수만큼 /로 지웁니다.

$5-2-1=$ 2

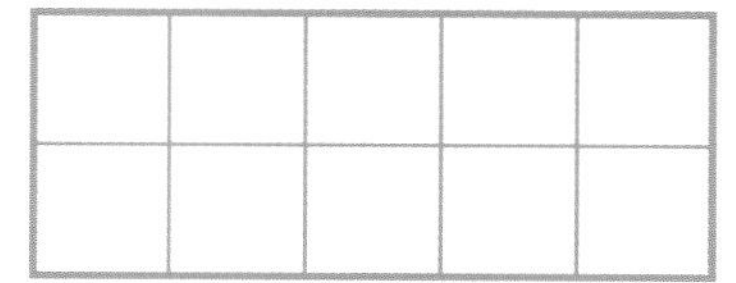

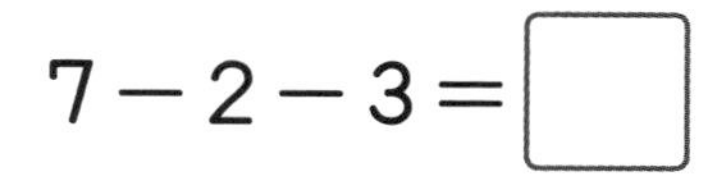

$7-2-3=$ □

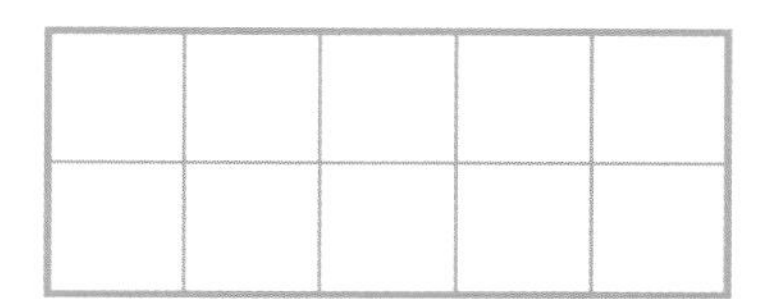

$6-1-1=$ □

$8-4-1=$ □

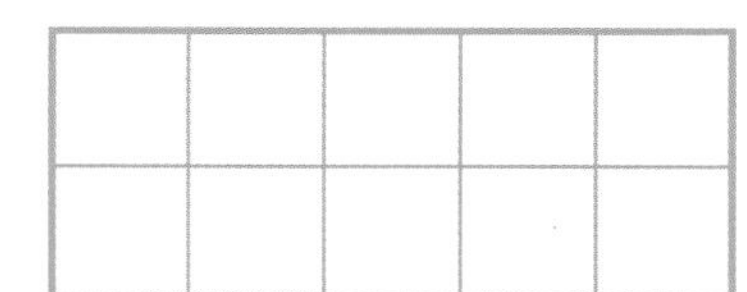

$9-1-3=$ □

$7-4-2=$ □

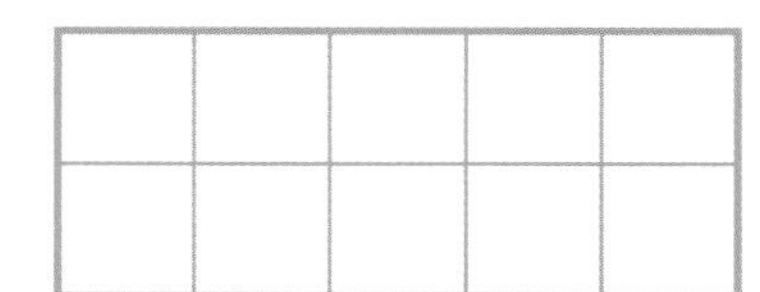

$8-2-4=$ □

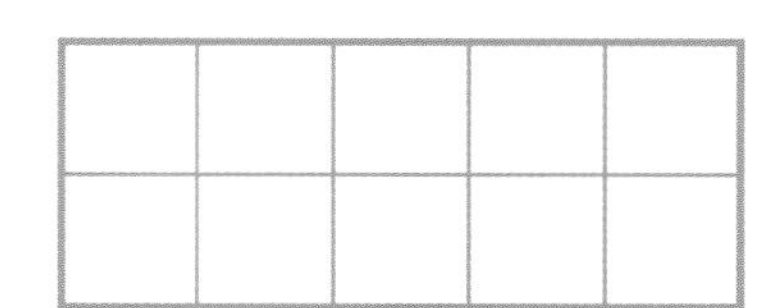

$9-3-3=$ □

57일 세 수의 뺄셈 (1)

계산해 보세요.

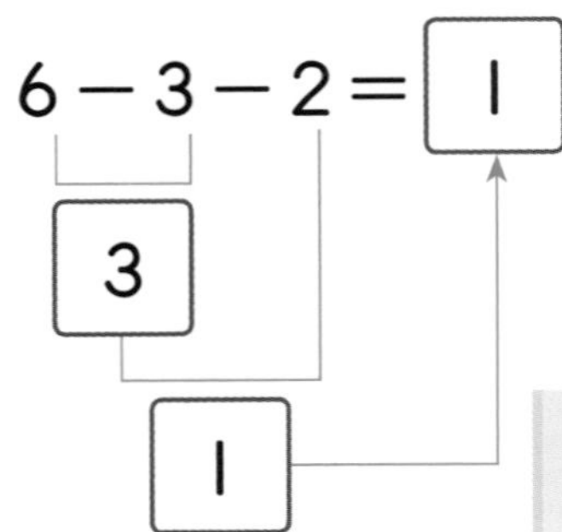

세 수의 뺄셈은 앞에서부터 차례로 계산합니다.

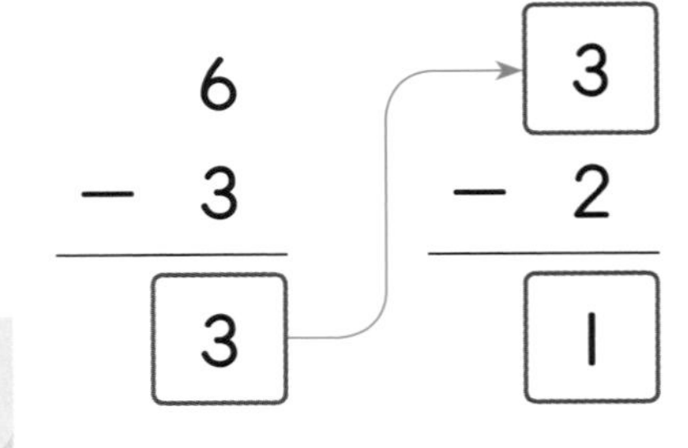

$$\begin{array}{r} 6 \\ - \ 3 \\ \hline 3 \end{array} \qquad \begin{array}{r} 3 \\ - \ 2 \\ \hline 1 \end{array}$$

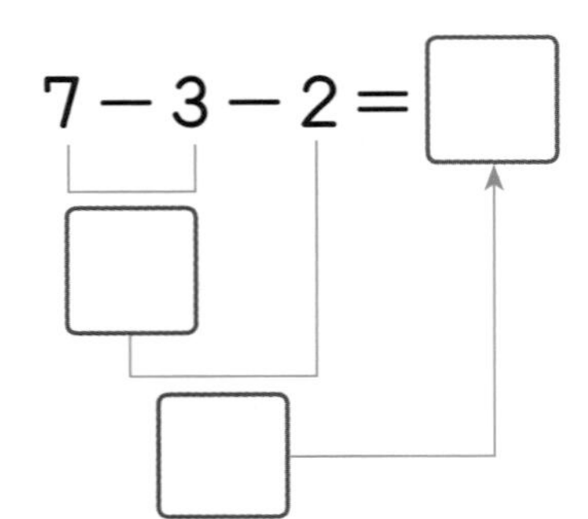

$7 - 3 - 2 =$ ☐

$$\begin{array}{r} 7 \\ - \ 3 \\ \hline \ \end{array} \qquad \begin{array}{r} \\ - \ 2 \\ \hline \ \end{array}$$

$8 - 1 - 6 =$ ☐

$$\begin{array}{r} 8 \\ - \ 1 \\ \hline \ \end{array} \qquad \begin{array}{r} \\ - \ 6 \\ \hline \ \end{array}$$

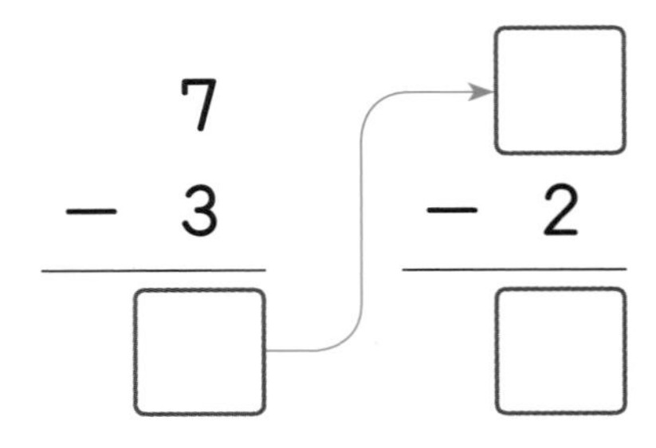

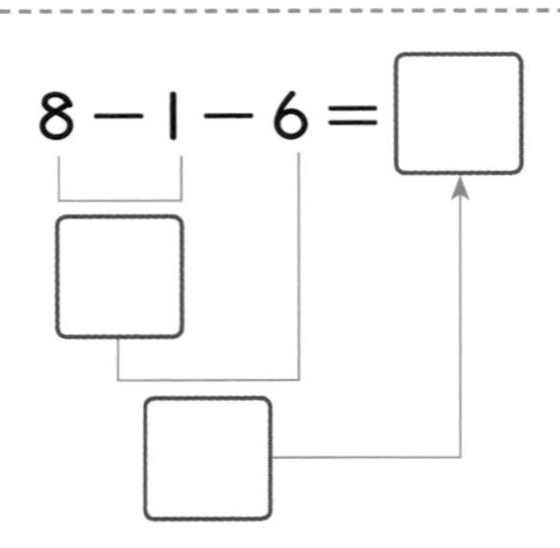

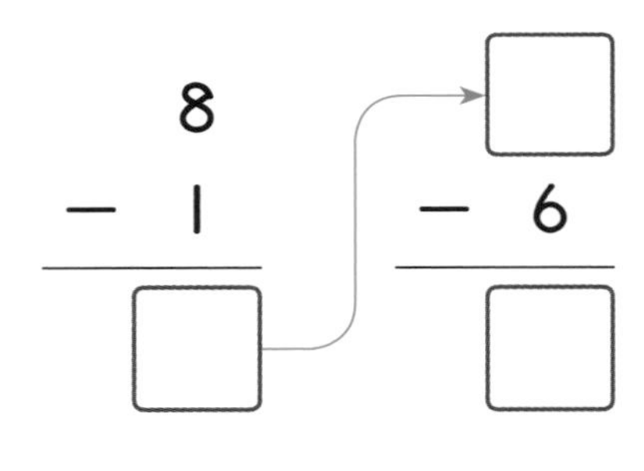

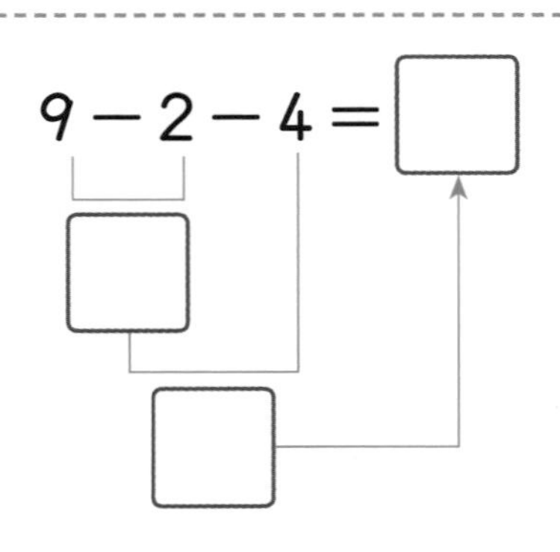

9
− 2

− 4

계산해 보세요.

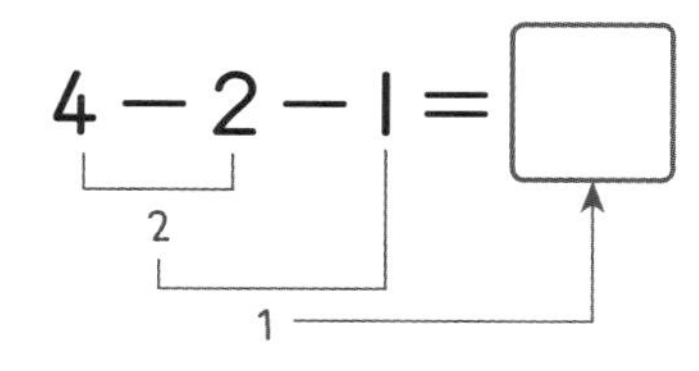

$4-2-1=\square$

$7-1-2=\square$

$8-2-2=\square$

$6-1-4=\square$

$5-1-3=\square$

$9-2-2=\square$

$6-1-1=\square$

$9-5-3=\square$

$8-3-2=\square$

$7-3-2=\square$

$9-1-2=\square$

$9-4-2=\square$

$7-2-4=\square$

$8-1-5=\square$

세 수의 뺄셈 (2)

빈칸에 알맞은 수를 써넣으세요.

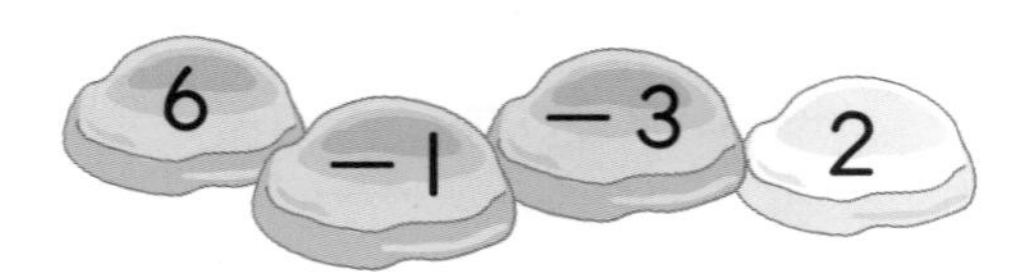

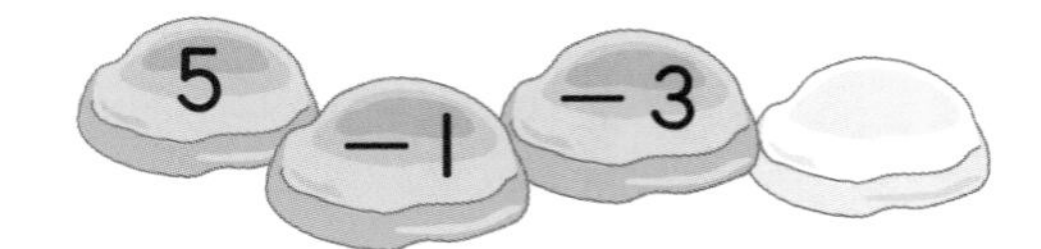

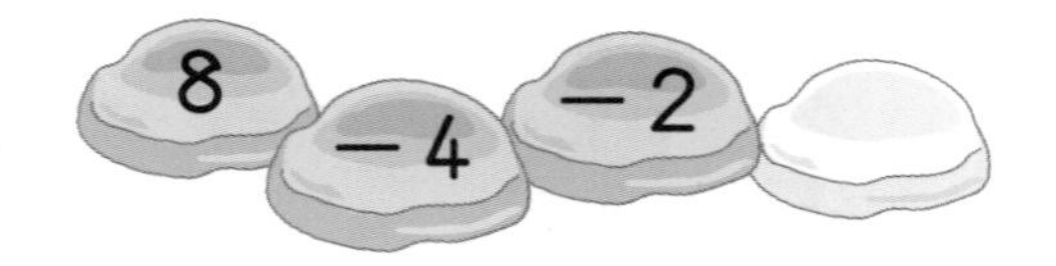

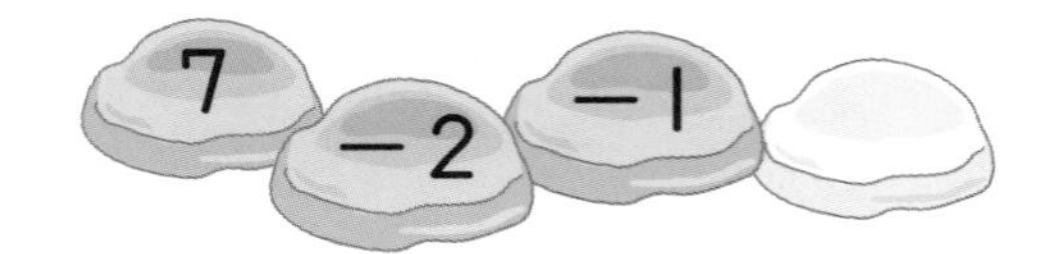

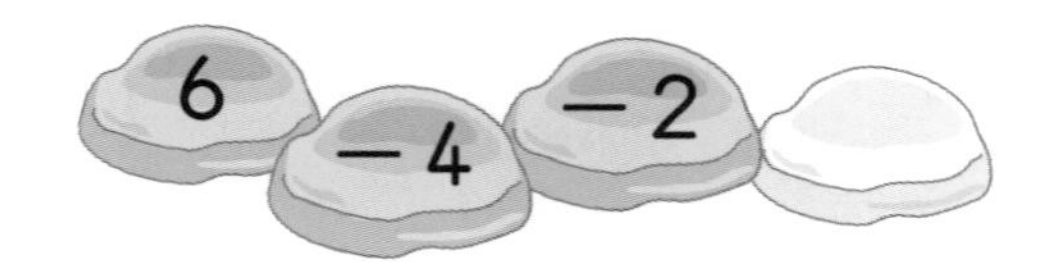

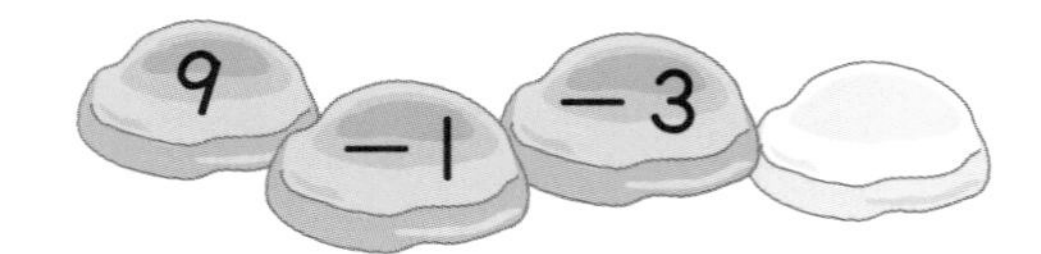

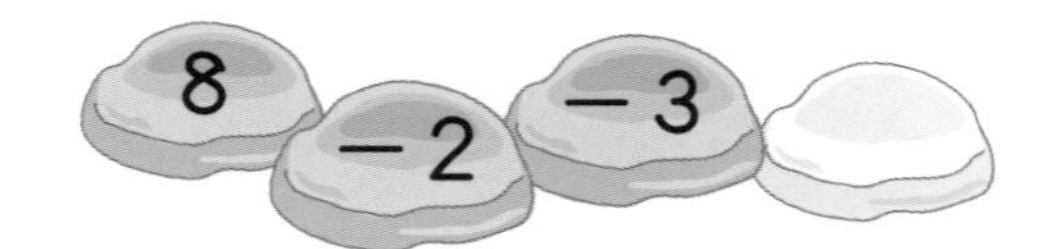

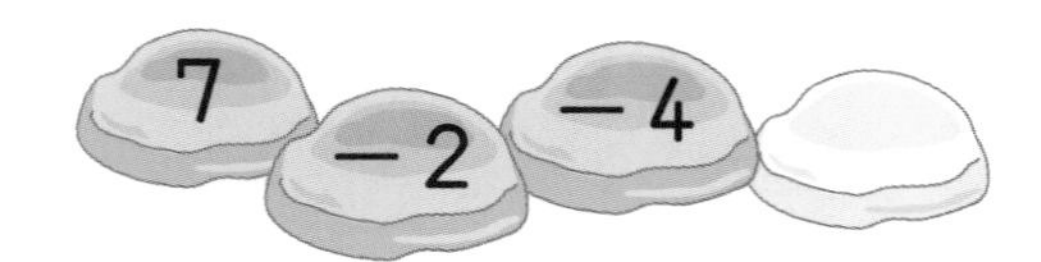

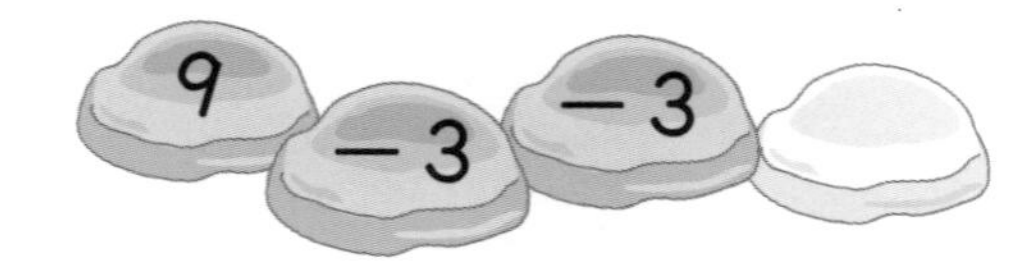

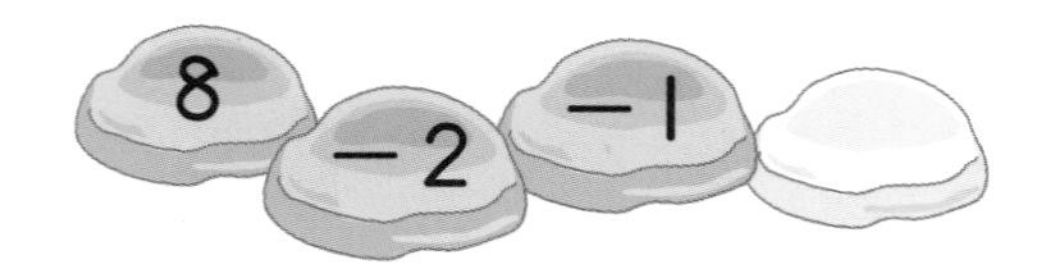

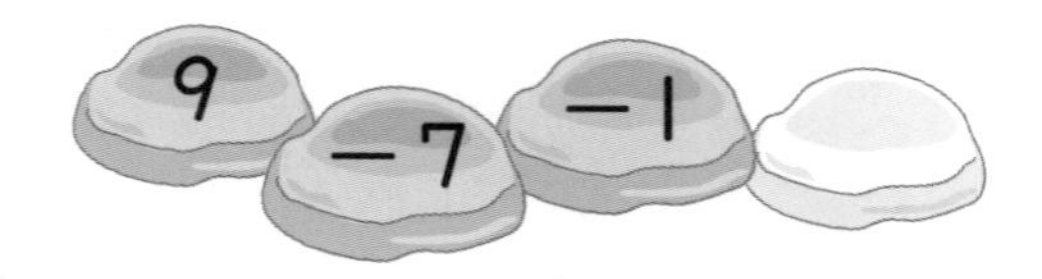

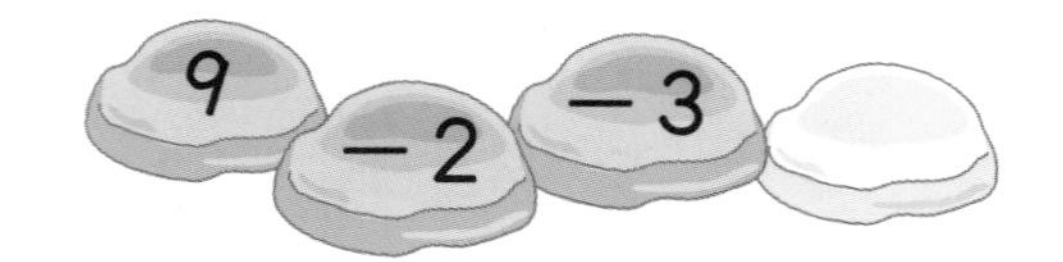

알맞게 이어 보세요.

$6-2-1$ $8-2-2$ $8-3-4$ $9-6-1$

0 1 2 3 4 5

$8-5-1$ $9-2-2$ $5-3-2$ $9-1-7$

0 1 2 3 4 5

차만큼 색칠하기

계산 결과만큼 색칠해 보세요.

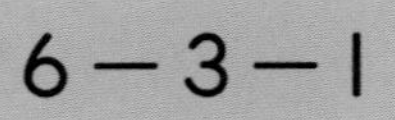

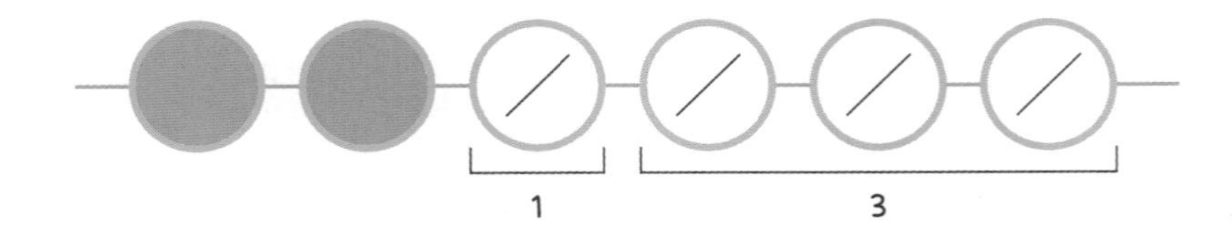

7 − 1 − 2

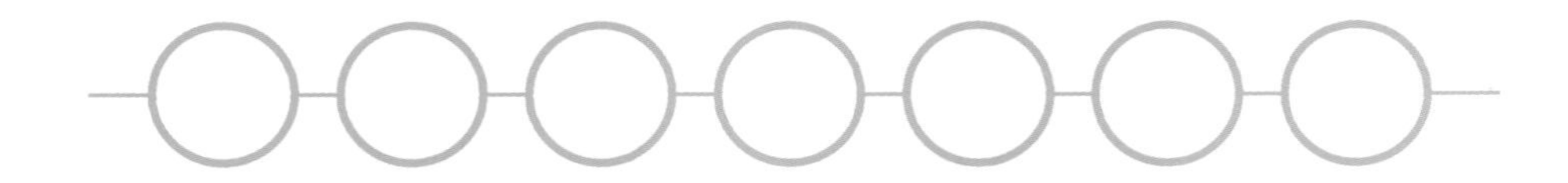

8 − 4 − 3

9 − 3 − 2

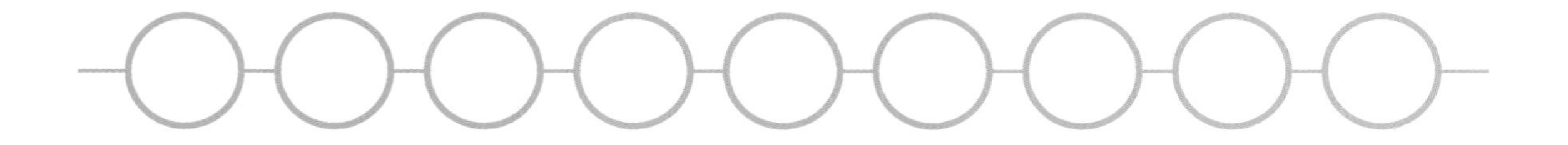

구하는 수만큼 풍선을 색칠해 보세요.

풍선이 7개 있었는데 2개가 날아가고 1개가 터졌습니다.
남아 있는 풍선 수만큼 색칠해 보세요.

서윤이는 풍선 8개를 가지고 있었습니다. 이 중에서 2개가 터지고 4개가 날아갔습니다. 남아 있는 풍선 수만큼 색칠해 보세요.

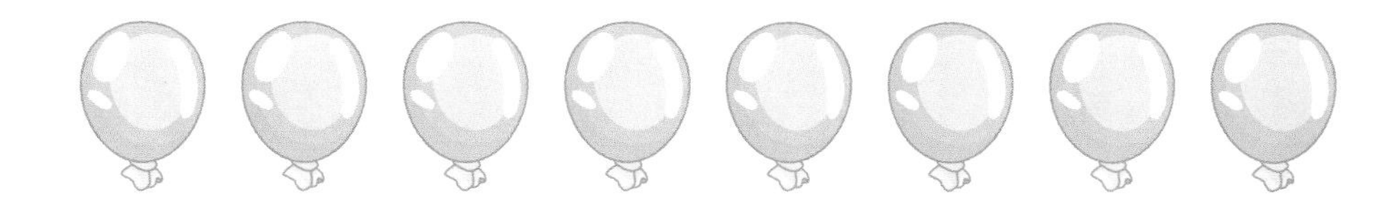

풍선 가게에 풍선 9개가 있었습니다. 아침에 3개를 팔았고 저녁에 5개를 팔았습니다. 풍선 가게에 남아 있는 풍선 수만큼 색칠해 보세요.

뺄셈식 만들기

그림에 알맞은 식을 만들고 계산해 보세요.

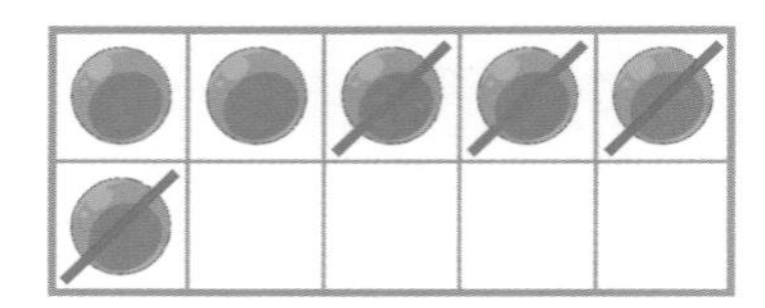

6 − 2 − 2 = □

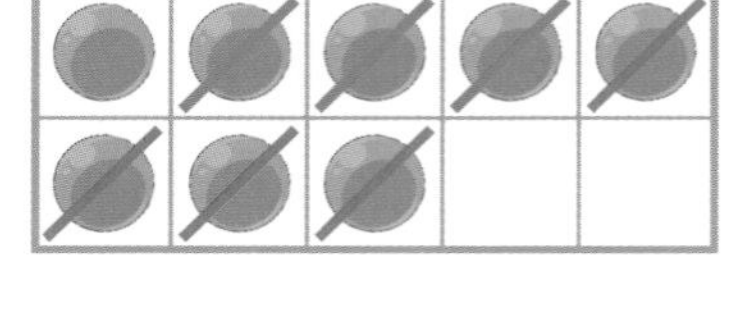

8 − 4 − 3 = □

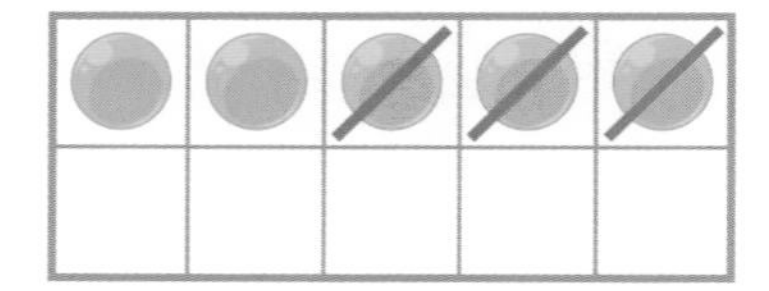

5 − 1 − □ = □

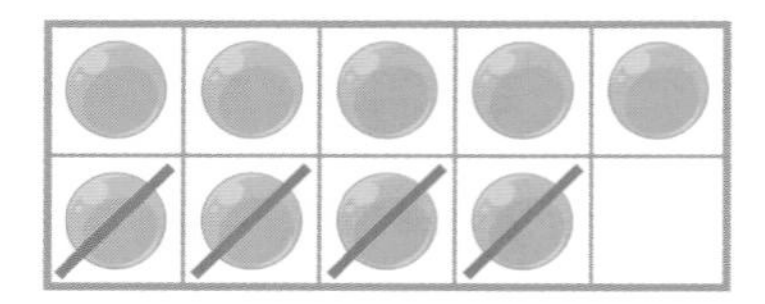

9 − 3 − □ = □

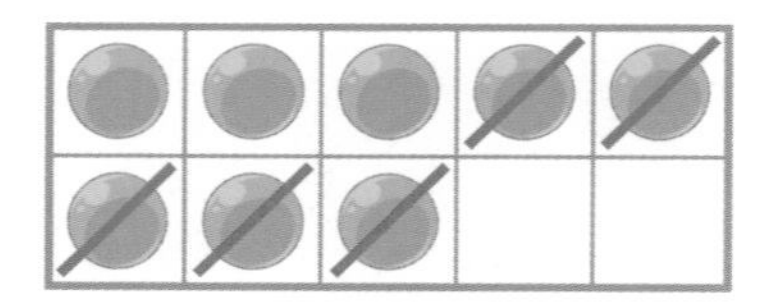

8 − □ − □ = □

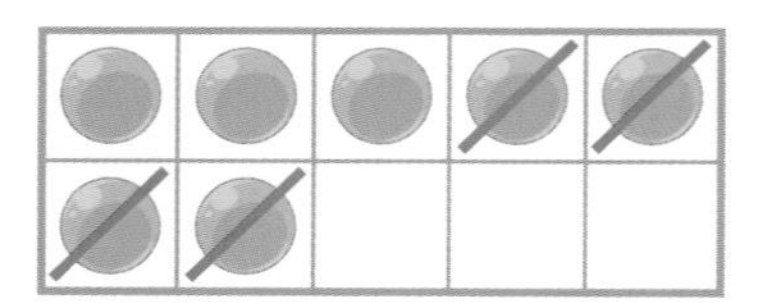

7 − □ − □ = □

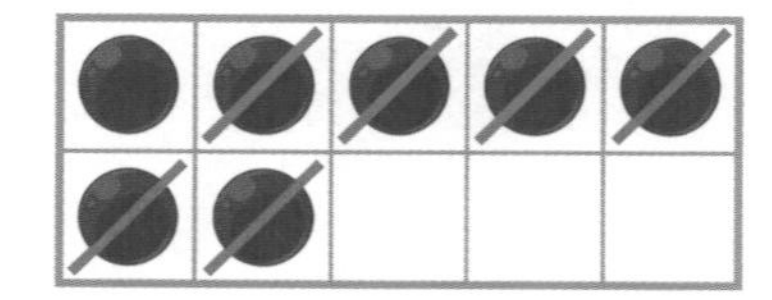

7 − □ − □ = □

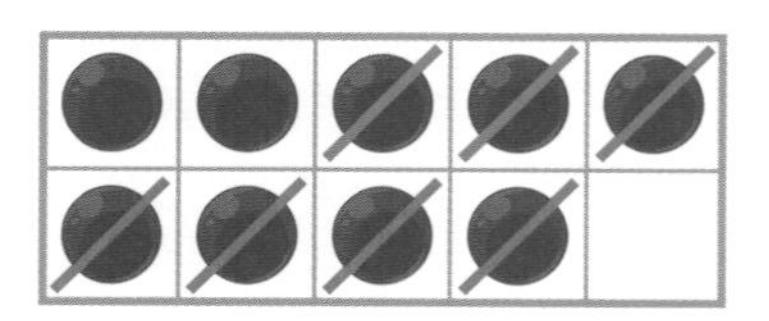

9 − □ − □ = □

그림을 보고 식을 써 보세요.

7 − 1 − ☐ = ☐

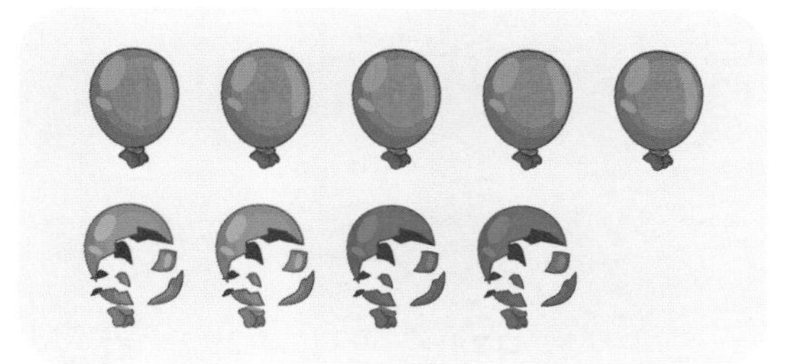

9 − 2 − ☐ = ☐

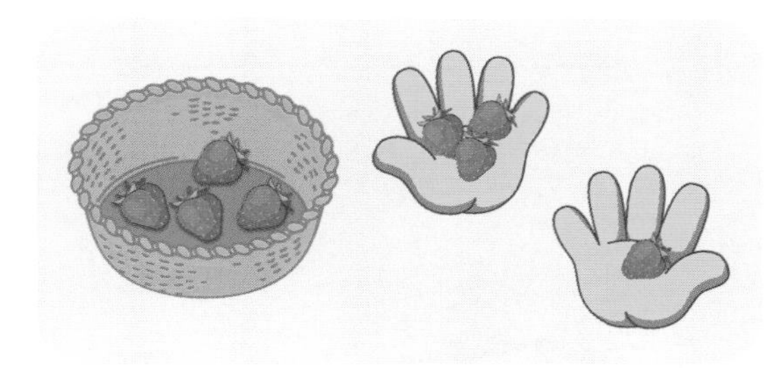

8 − ☐ − ☐ = ☐

9 − ☐ − ☐ = ☐

6 − ☐ − ☐ = ☐

9 − ☐ − ☐ = ☐

빈칸에 알맞은 수를 써넣고 식을 써 보세요.

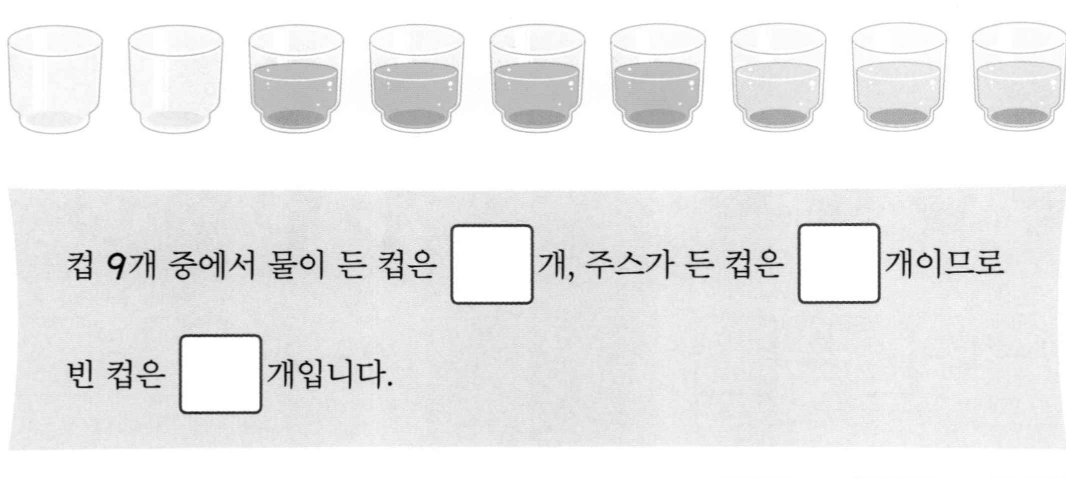

컵 9개 중에서 물이 든 컵은 □개, 주스가 든 컵은 □개이므로 빈 컵은 □개입니다.

9 − □ − □ = □

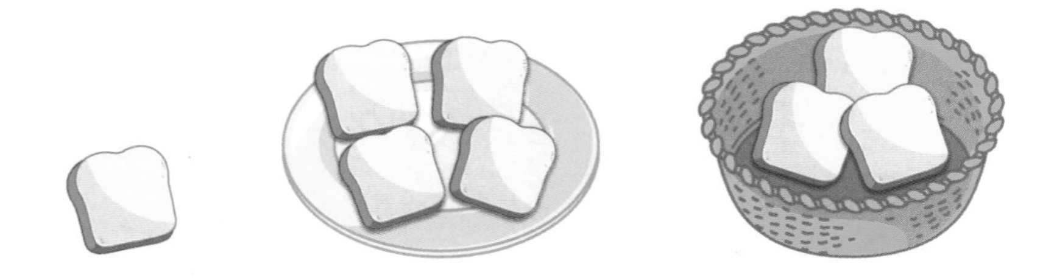

식빵 8개 중에서 □개는 접시에 담고 □개는 바구니에 담았습니다. 남은 식빵은 □개입니다.

8 − □ − □ = □

61일~65일

3주차 세 수의 덧셈과 뺄셈

61일 세 수의 계산

계산해 보세요.

$1+2+3=\square$

$1+3+2=\square$

$2+1+3=\square$

$3+2+1=\square$

$5+1+2=\square$

$1+2+5=\square$

$2+5+1=\square$

$2+1+5=\square$

세 수의 덧셈은 더하는 순서를 바꾸어도 결과가 같습니다.

$2+1+4=\square$

$2+4+1=\square$

$1+2+4=\square$

$4+2+1=\square$

$4+2+3=\square$

$3+4+2=\square$

$3+2+4=\square$

$2+3+4=\square$

계산해 보세요.

$6-2-1=\square$

$6-1-2=\square$

세 수의 뺄셈은 빼는 두 수의 순서를 바꾸어도 결과가 같습니다.

$7-3-2=\square$

$7-2-3=\square$

$8-3-4=\square$

$8-4-3=\square$

$9-1-3=\square$

$9-3-1=\square$

$9-2-4=\square$

$9-4-2=\square$

$8-5-1=\square$

$8-1-5=\square$

62 일 이야기하기 (1)

물음에 답하세요.

공은 모두 몇 개일까요?

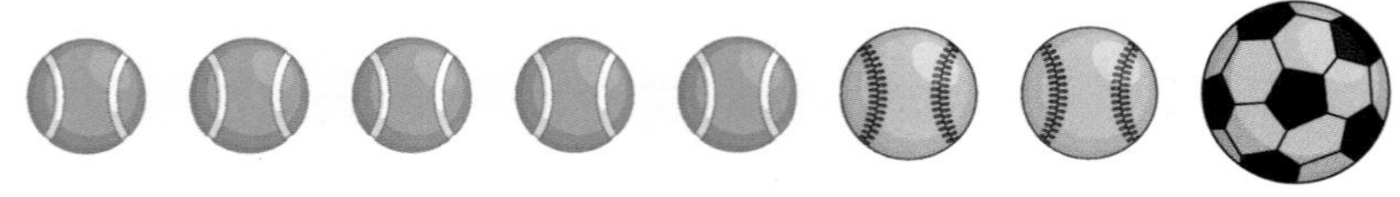

테니스공 5개, 야구공 2개, 축구공 1개가 있습니다. 공은 모두 8개입니다.

식 5 + ☐ + ☐ = ☐ 답 ☐ 개

풍선 몇 개가 터지고 몇 개가 날아갔습니다. 남은 풍선은 몇 개일까요?

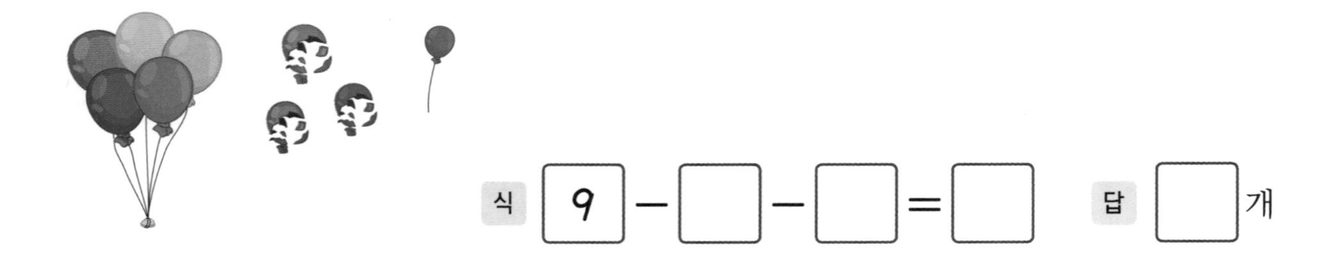

식 9 − ☐ − ☐ = ☐ 답 ☐ 개

책장에 꽂혀 있는 책의 수를 나타낸 것입니다. 책은 모두 몇 권일까요?

동화책	만화책	위인전
4권	1권	2권

식 4 + ☐ + ☐ = ☐ 답 ☐ 권

월 일

그림을 보고 물음에 답하세요.

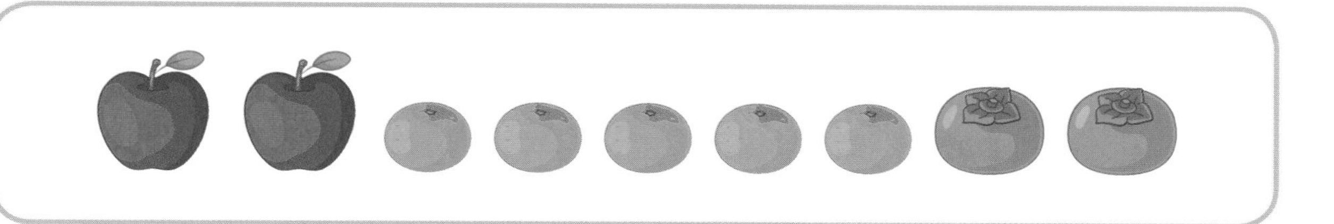

과일은 모두 몇 개인지 덧셈식을 쓰고 답을 구하세요.

식 □ + □ + □ = □ 답 □ 개

전체 과일 중에서 귤은 몇 개인지 뺄셈식을 쓰고 답을 구하세요.

식 □ − □ − □ = □ 답 □ 개

전체 과일 중에서 사과는 몇 개인지 뺄셈식을 쓰고 답을 구하세요.

식 □ − □ − □ = □ 답 □ 개

63일 이야기하기 (2)

물음에 답하세요.

다람쥐가 도토리를 아침에 3개, 점심에 1개, 저녁에 3개 먹었습니다. 다람쥐가 먹은 도토리는 모두 몇 개일까요?

덧셈 상황인지 뺄셈 상황인지 파악합니다.

식 $3+1+3=7$ 답 7 개

빵 9개가 있습니다. 민아가 2개를 먹고 우성이가 3개를 먹었습니다. 남아 있는 빵은 몇 개일까요?

식 ______ 답 ______ 개

윤서네 집은 1층, 민준이네 집은 윤서네 집보다 4층 더 높습니다. 지유네 집은 민준이네 집보다 2층 더 높습니다. 지유네 집은 몇 층일까요?

식 ______ 답 ______ 층

색종이 8장 중에서 종이배를 접는 데 5장, 종이비행기를 접는 데 2장 사용했습니다. 남은 색종이는 몇 장일까요?

식 ______ 답 ______ 장

물음에 답하세요.

버스에 6명이 타고 있었습니다. 박물관 앞에서 2명이 내리고 영화관 앞에서 3명이 내렸습니다. 버스에 남은 사람은 몇 명일까요?

식 ______________ 답 ______ 명

안경을 쓴 학생이 1반에는 4명, 2반에는 3명, 3반에는 2명 있습니다. 세 반에서 안경을 쓴 학생은 모두 몇 명일까요?

식 ______________ 답 ______ 명

하은이는 수학 문제 8문제 중에 어제 2문제를 풀고 오늘 3문제를 풀었습니다. 몇 문제를 더 풀어야 수학 문제를 모두 풀 수 있을까요?

식 ______________ 답 ______ 문제

상은이가 사탕 5개를 먹고 원재가 3개를 먹었더니 남은 사탕이 1개입니다. 처음에 사탕은 몇 개 있었을까요?

식 ______________ 답 ______ 개

64 일 사다리 타기

선을 따라 내려가다 갈림길을 만나면 옆으로 갑니다. 빈칸에 알맞은 수를 써넣으세요.

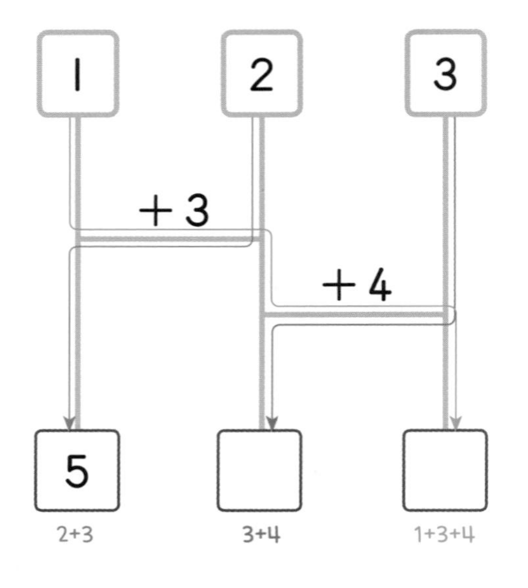

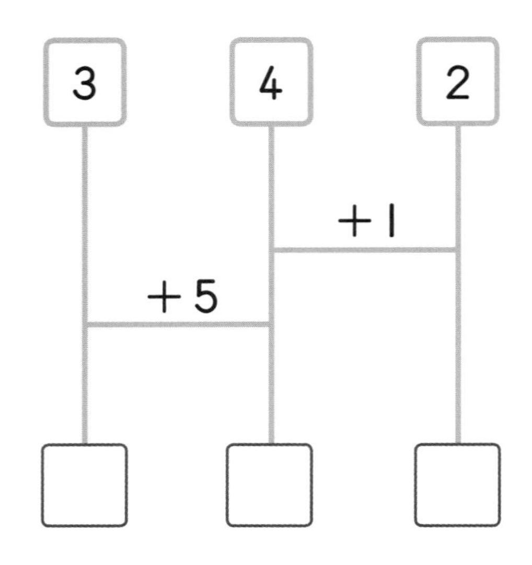

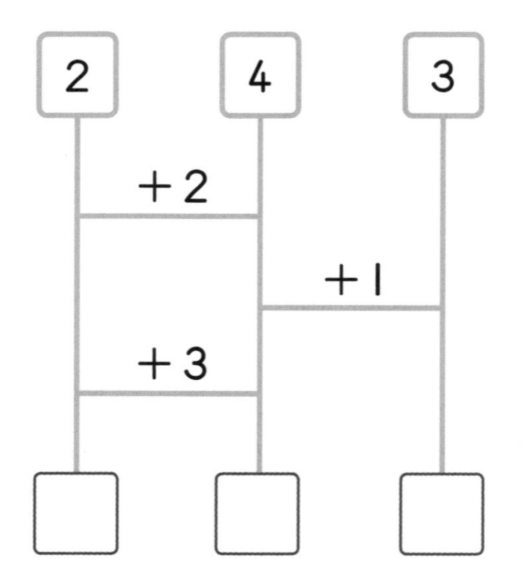

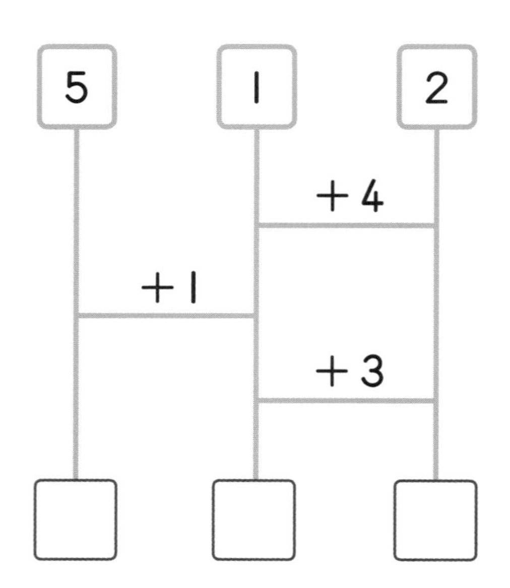

선을 따라 내려가다 갈림길을 만나면 옆으로 갑니다. 빈칸에 알맞은 수를 써넣으세요.

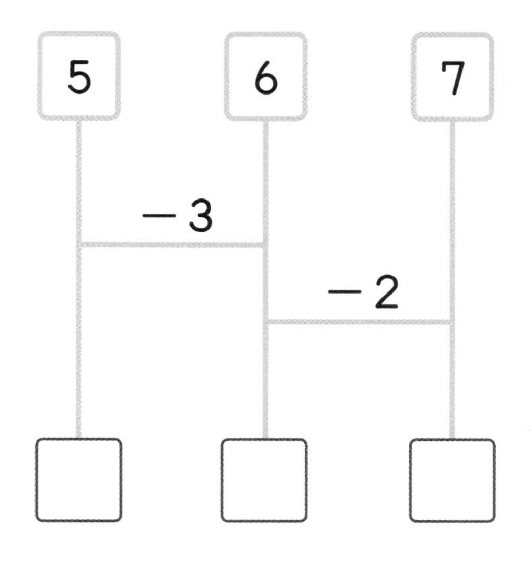

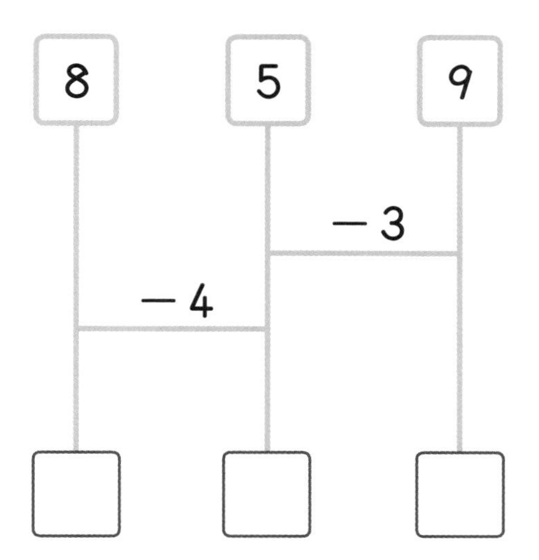

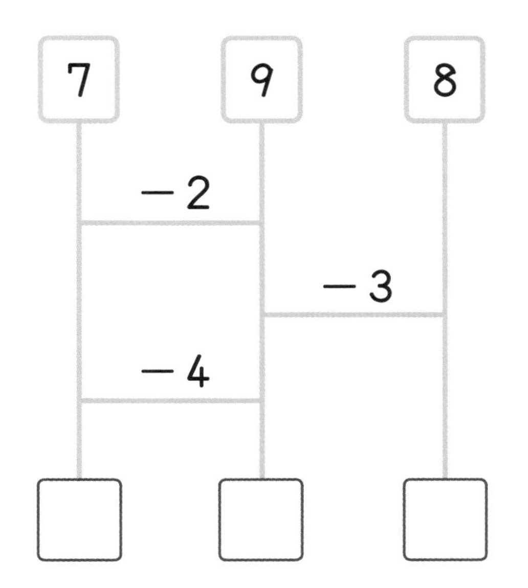

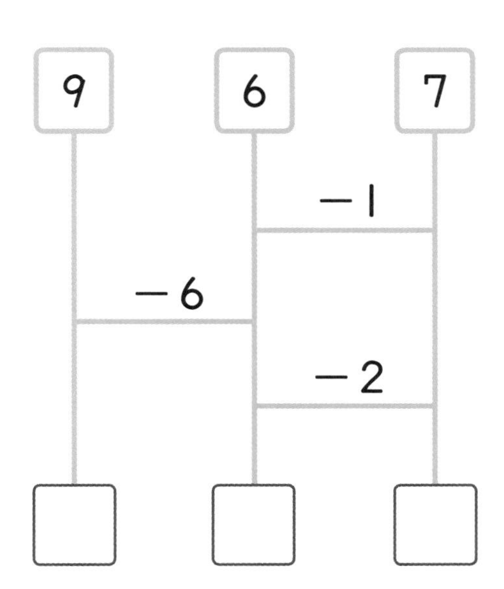

65 일 식 완성하기

수 카드 중 2장을 골라 써넣어 식을 완성해 보세요.

$2+\square+\square=6$

2 3 3

$1+\square+\square=7$

1 2 4

$3+\square+\square=8$

2 3 4

$2+\square+\square=9$

5 4 1

$\square+3+\square=9$

1 2 1

$\square+5+\square=7$

4 2 1

$\square+2+\square=8$

3 4 4

$\square+1+\square=9$

수 카드 중 2장을 골라 써넣어 식을 완성해 보세요.

1 2 2

$6 - \square - \square = 2$

1 2 4

$7 - \square - \square = 1$

1 4 5

$8 - \square - \square = 3$

3 4 3

$9 - \square - \square = 3$

3 6 9

$\square - 2 - \square = 4$

1 3 6

$\square - 1 - \square = 2$

1 6 7

$\square - 3 - \square = 3$

3 8 9

$\square - 4 - \square = 1$

가장 큰 수에서 나머지 두 수를 뺀 값을 구해 보세요.

7	1	2

가장 큰 수: 7
7-1-2=4

(4)

2	5	1

( )

3	9	4

( )

8	2	2

( )

3	2	6

( )

4	7	3

( )

9	2	1

( )

4	2	8

( )

66일 ~ 70일

4주차 100이 넘는 덧셈 (1)

66 일 이어 덧셈하기 (1)

두 수를 더해 보세요.

6 7
6개하고 1개 더 있으므로
6하고 7입니다.

$6+1=$ 7

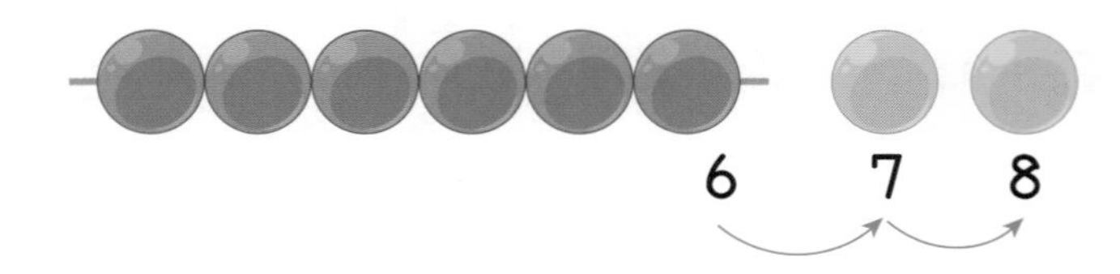

$6+2=$ □

6 7 8 9

$6+3=$ □

6 7 8 9 10

$6+4=$ □

6 7 8 9 10 11

$6+5=$ □

6 7 8 9 10 11 12

$6+6=$ □

덧셈식을 써 보세요.

$7+2=\square$

$7+\square=\square$

$8+3=\square$

$8+\square=\square$

$9+3=\square$

$9+\square=\square$

67일 이어 덧셈하기 (2)

이어 세어 보고 두 수를 더해 보세요.

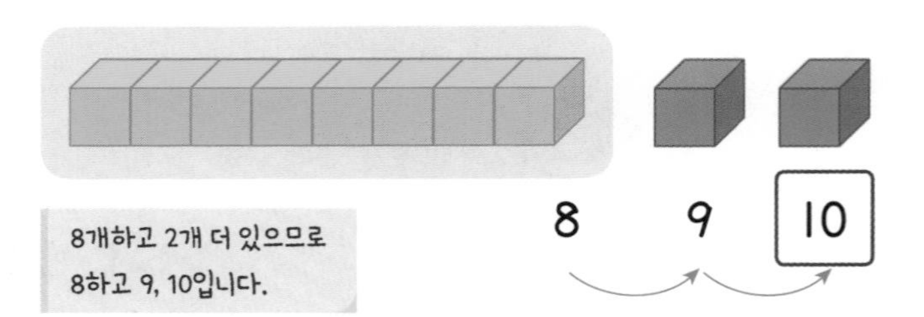

8개하고 2개 더 있으므로
8하고 9, 10입니다.
8 9 10

$8+2=$ 10

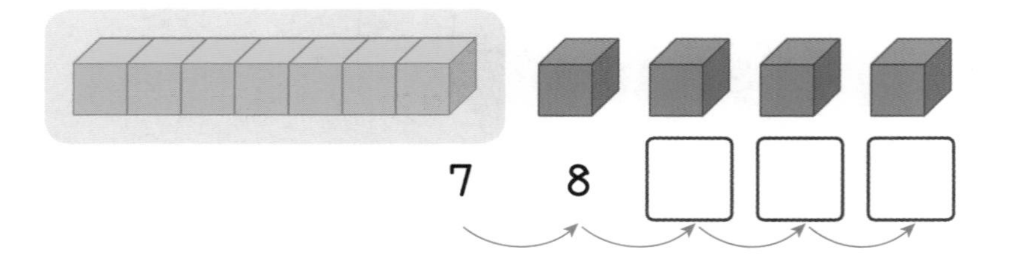

$7+4=$ ☐

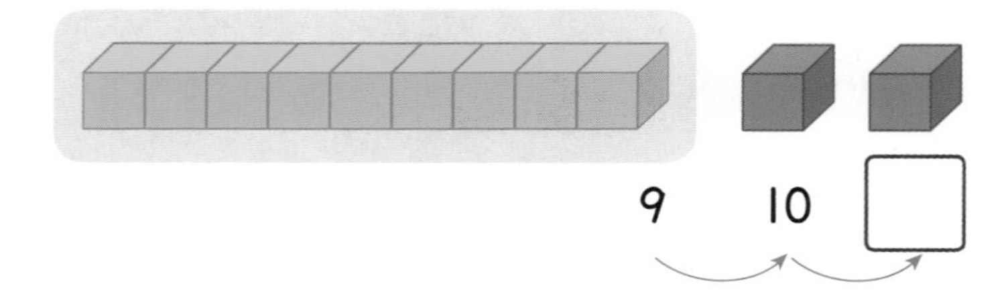

$9+2=$ ☐

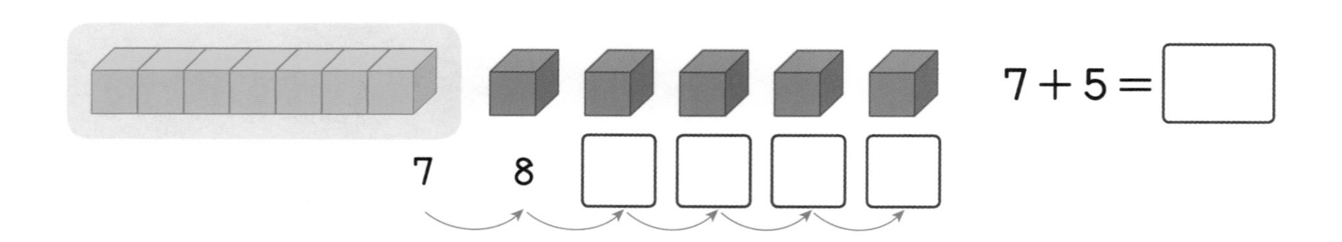

$7+5=$ ☐

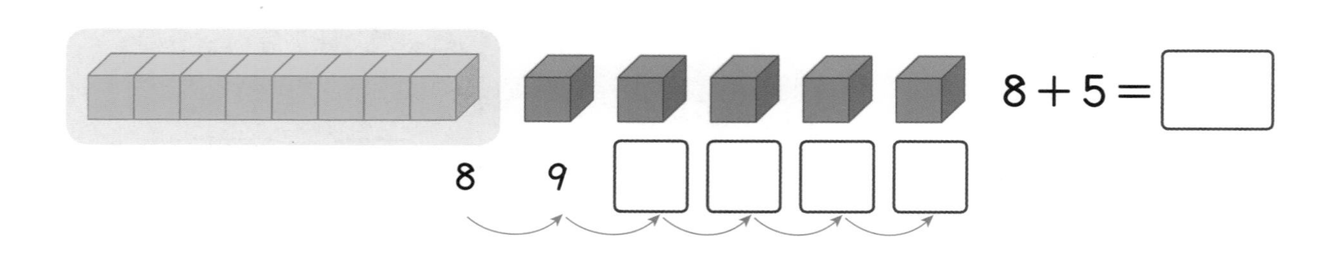

$8+5=$ ☐

덧셈식을 써 보세요.

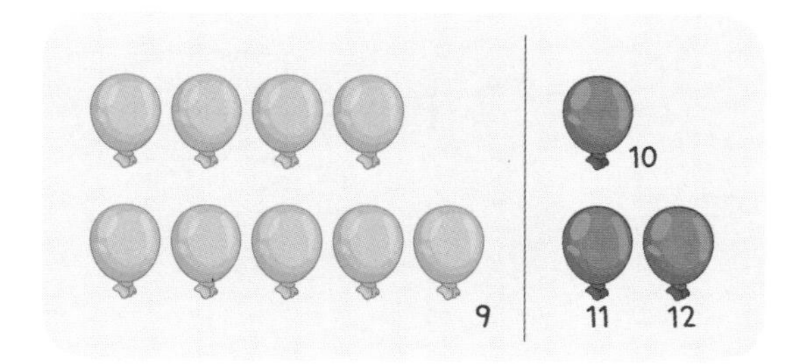

$9 + 3 = \square$

$7 + 6 = \square$

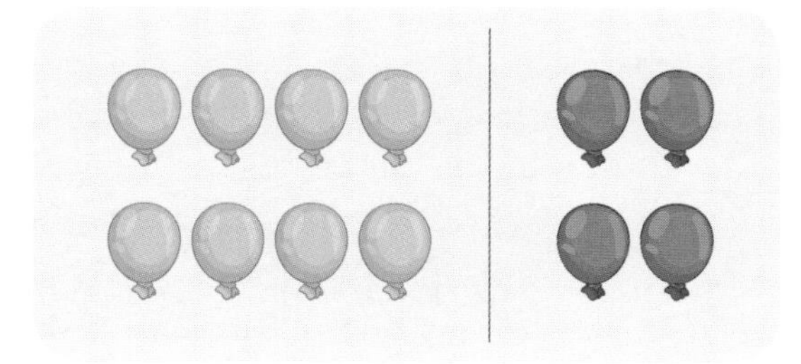

$8 + \square = \square$

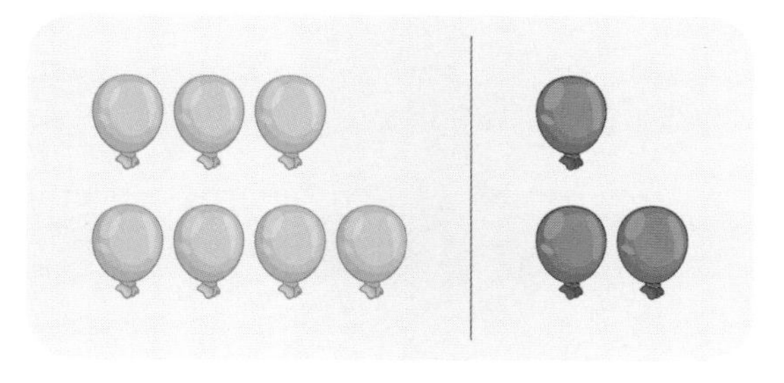

$7 + \square = \square$

$\square + \square = \square$

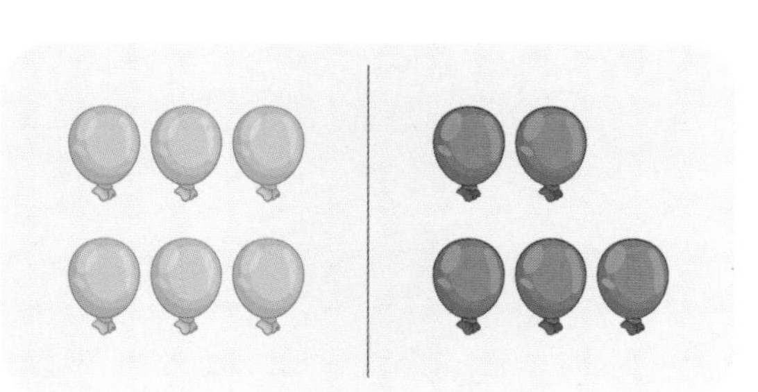

$\square + \square = \square$

68 일 그려 덧셈하기

○를 그려 덧셈을 해 보세요.

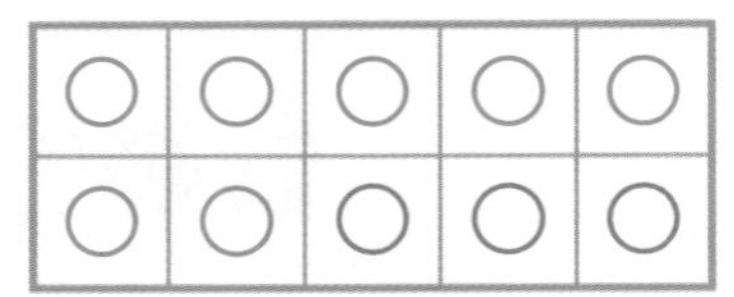 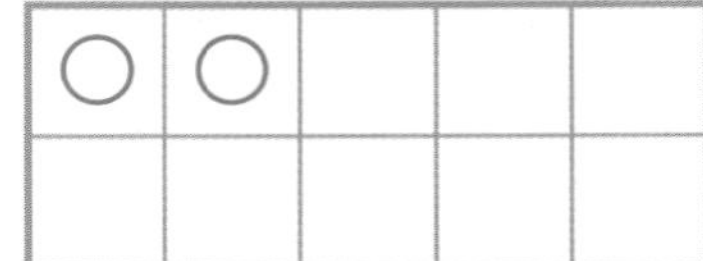

$7+5=$ 12

7개하고 5개 더 있으므로
7하고 8, 9, 10, 11, 12입니다.

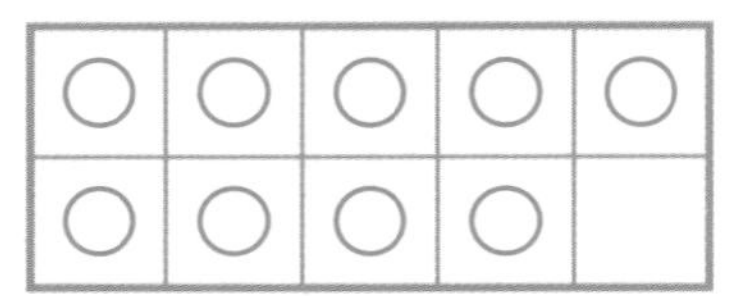 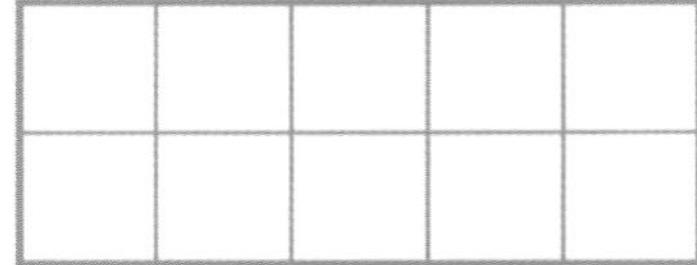

$9+4=$ □

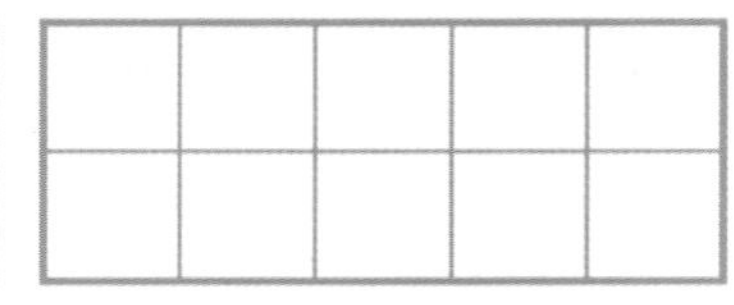

$8+6=$ □

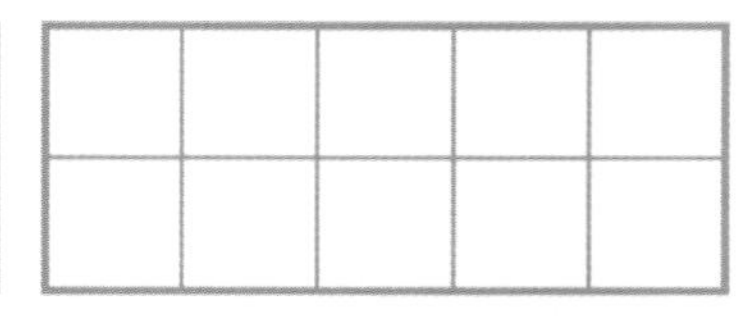

$7+4=$ □

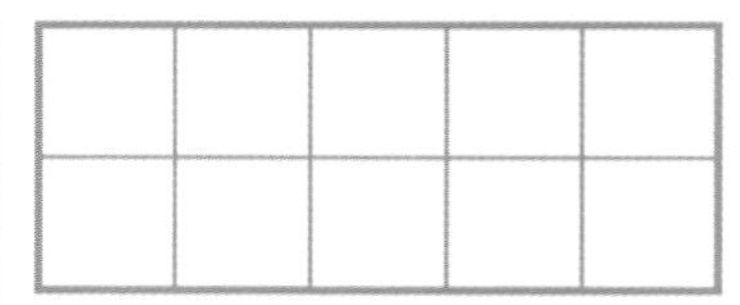

$9+6=$ □

덧셈식을 써 보세요.

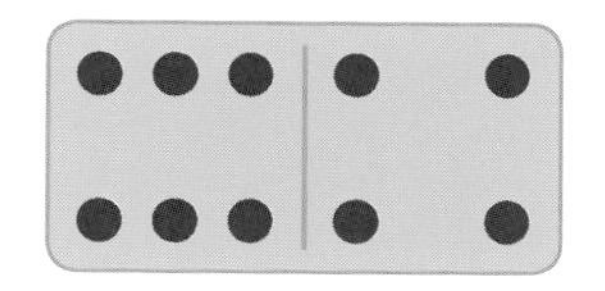

6 + 4 = 10

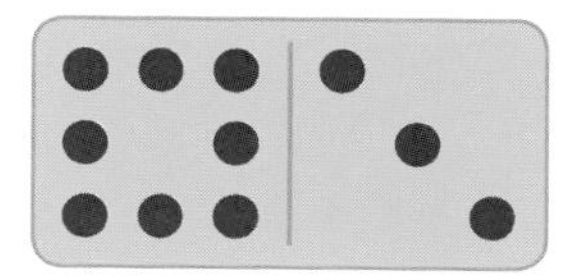

8 + 3 = □

9 + 5 = □

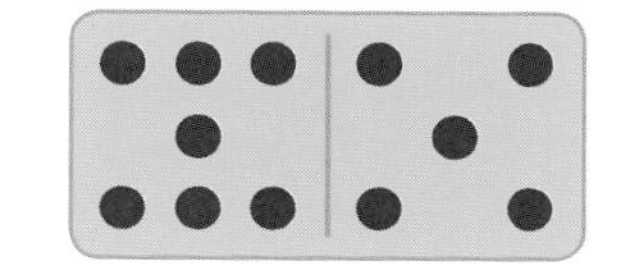

7 + □ = □

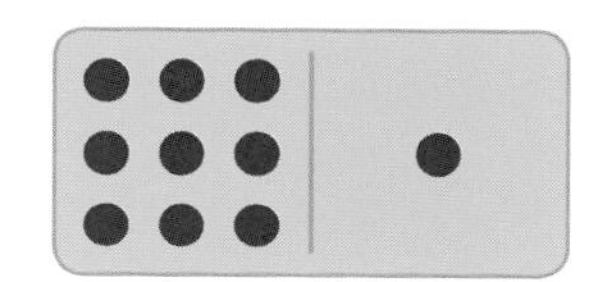

9 + □ = □

6 + □ = □

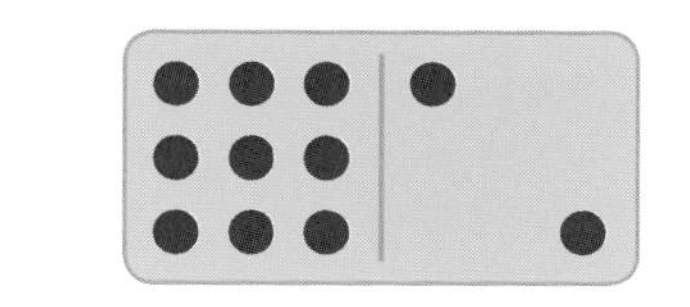

□ + □ = □

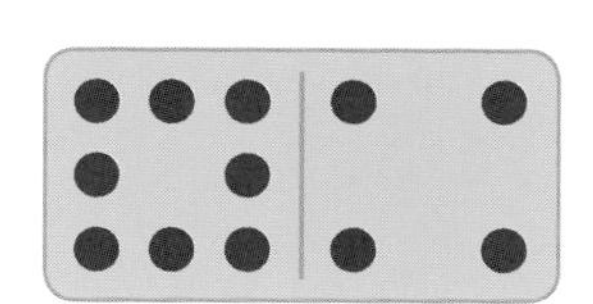

□ + □ = □

□ + □ = □

합만큼 색칠하기

덧셈 결과만큼 색칠해 보세요.

9 + 3

9개를 색칠하고 3개 더 색칠하면
9하고 10, 11, 12입니다.

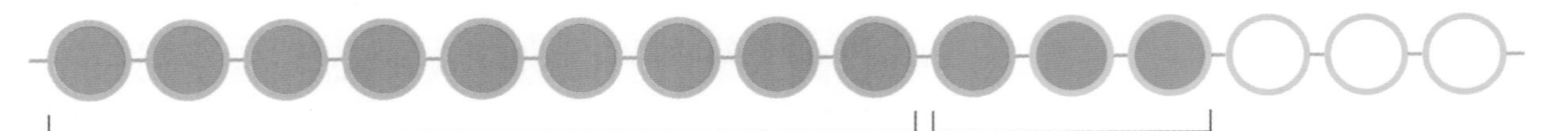

9 3

5 + 5

8 + 6

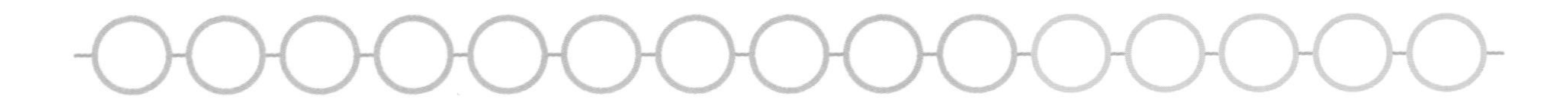

7 + 4

물음에 답하세요.

유빈이는 깃발 7개를 색칠했습니다. 깃발 3개를 더 색칠한다면 유빈이가 색칠한 깃발은 모두 몇 개일까요?

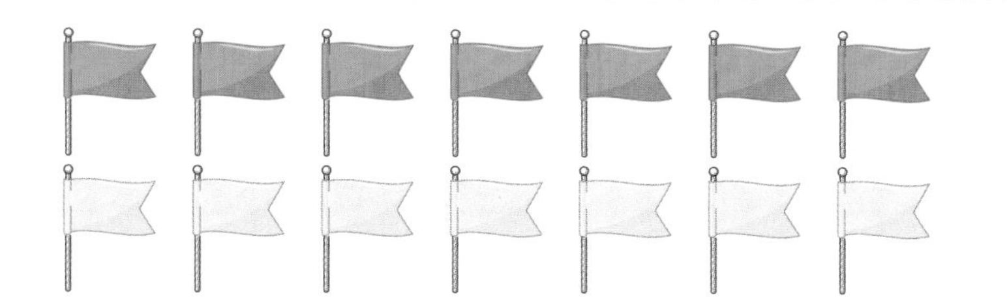

( )개

빨간색 깃발 9개가 있습니다. 빨간색 깃발 4개를 더 가져온다면 빨간색 깃발은 모두 몇 개가 될까요?

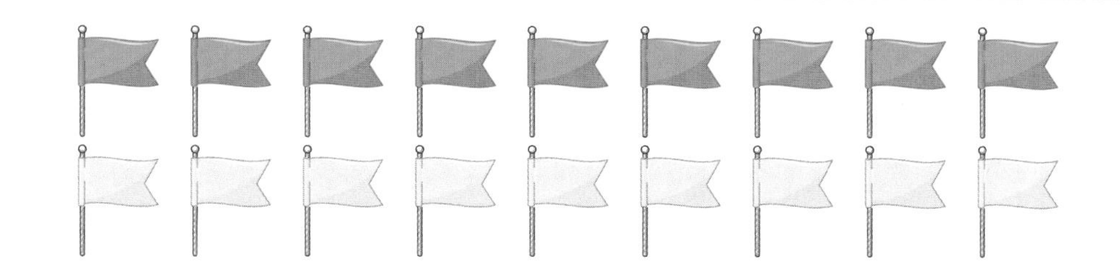

( )개

유나는 깃발 8개를 색칠했습니다. 지한이가 깃발 7개를 더 색칠한다면 두 사람이 색칠한 깃발은 모두 몇 개일까요?

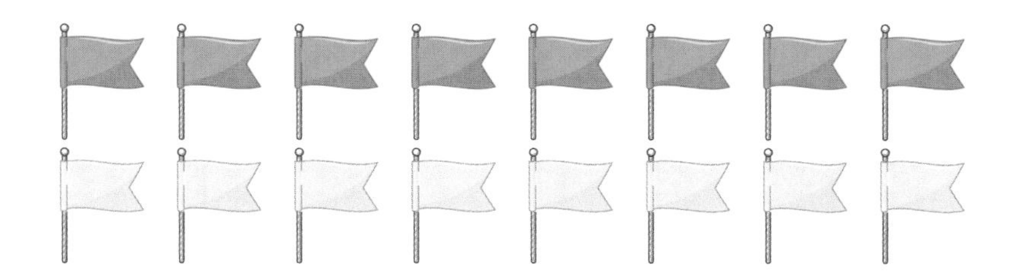

( )개

70일 덧셈식 만들기

빈칸에 알맞은 수를 쓰고 덧셈식을 써 보세요.

토끼가 돌다리 8개를 뛰어넘었습니다.

토끼가 돌다리를 5개를 더 뛰어넘으면

모두 □개를 뛰어넘습니다.

8개를 뛰어넘고 5개 더 뛰어넘으면
8하고 9, 10, 11, 12, 13입니다.

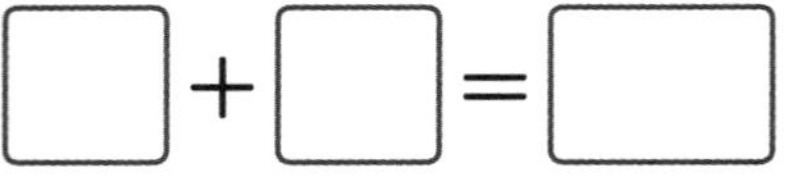

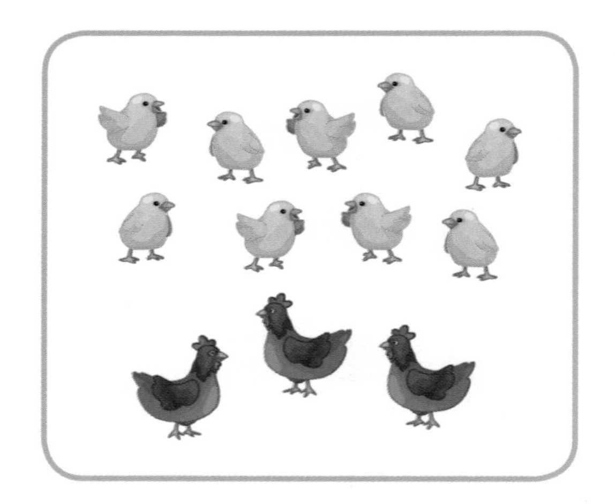

병아리가 □마리, 닭이 □마리

있습니다. 병아리와 닭은 모두

□마리입니다.

□ + □ = □

월 일

■ 그림을 보고 덧셈식을 써 보세요.

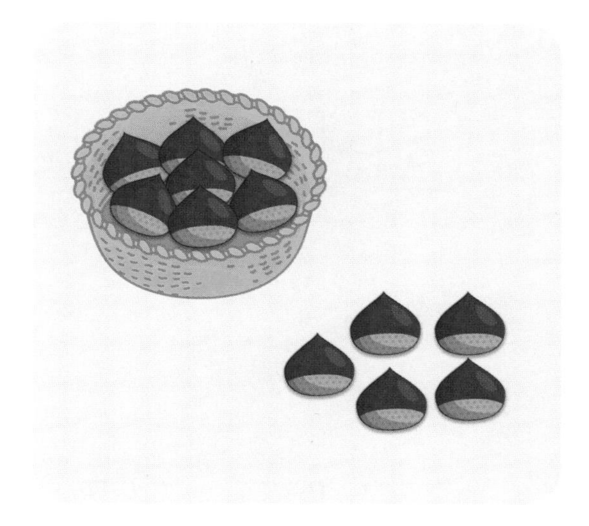

$\square + \square = \square$

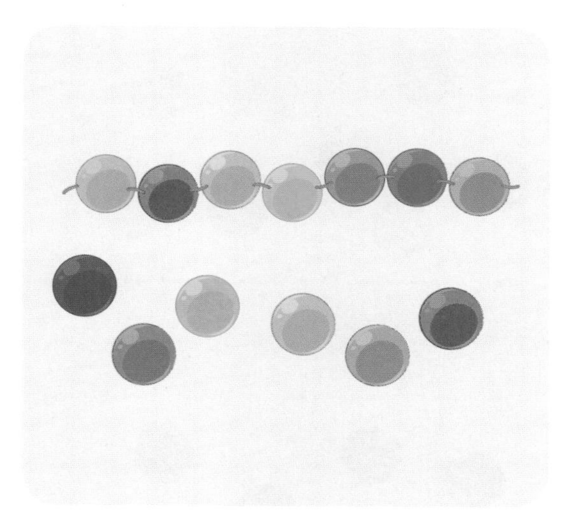

$\square + \square = \square$

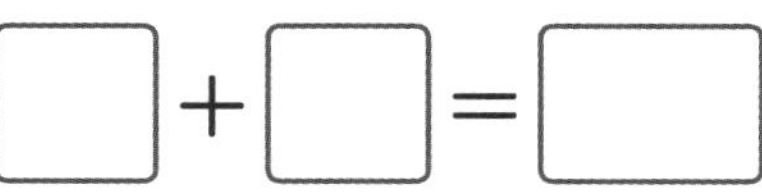

○를 더 그리고 그 수에 알맞게 덧셈식을 써 보세요.

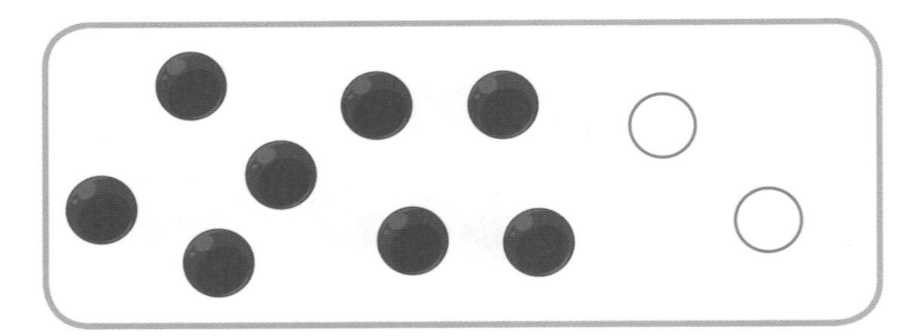

$\boxed{8} + \boxed{2} = \boxed{10}$

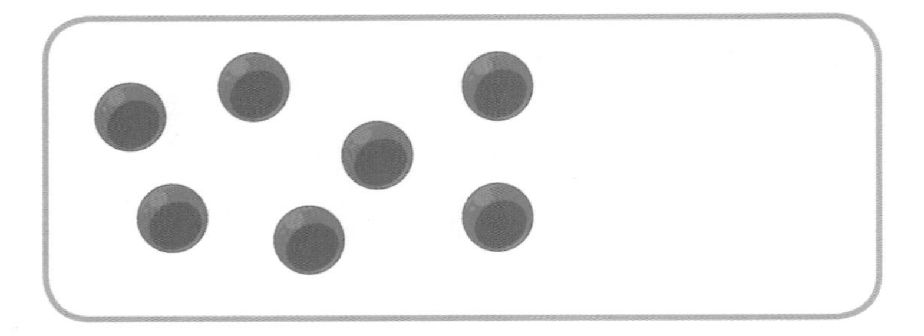

$\square + \square = \square$

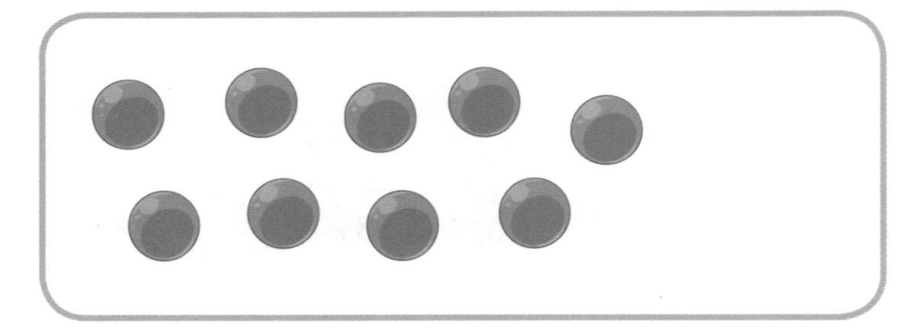

$\square + \square = \square$

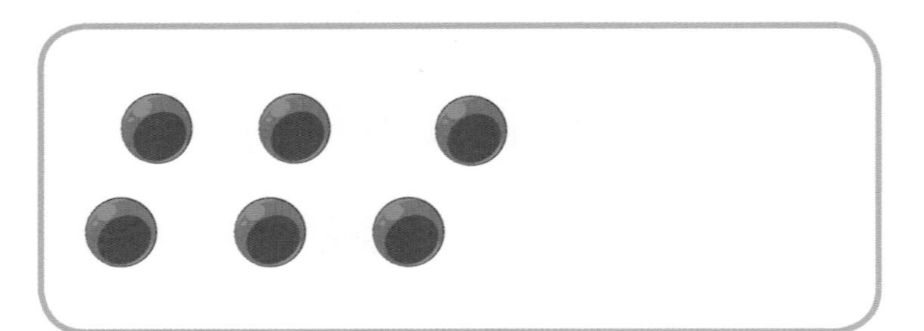

$\square + \square = \square$

71일~75일

5주차 100이 넘는 덧셈 (2)

71일 바꾸어 더하기

덧셈을 해 보세요.

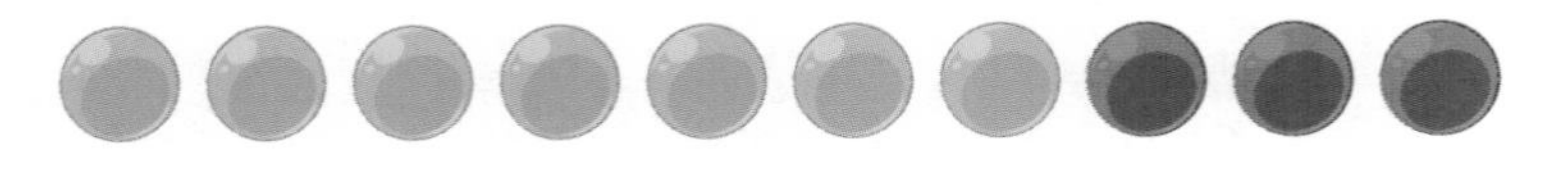

$7+3=\square$

$3+7=\square$

두 수를 바꾸어 더해도 결과는 같습니다.

$9+2=\square$

$2+9=\square$

$7+5=\square$

$5+7=\square$

$8+4=\square$

$4+8=\square$

합이 같은 것끼리 이어 보세요.

9+3 ·	· 5+8	7+4 ·	· 5+9
5+6 ·	· 6+5	9+5 ·	· 4+7
8+5 ·	· 3+9	4+8 ·	· 8+4

4+9 ·	· 7+8	5+7 ·	· 6+7
6+8 ·	· 9+4	7+6 ·	· 8+3
8+7 ·	· 8+6	3+8 ·	· 7+5

72 일 연속 덧셈

덧셈을 해 보세요.

$7+1=\square$

$7+2=\square$

$7+3=\square$

$7+4=\square$

$7+5=\square$

$9+1=\square$

$9+2=\square$

$9+3=\square$

$9+4=\square$

$9+5=\square$

더하는 수가 1씩 커지면 합도 1씩 커집니다.

$3+6=\square$

$4+6=\square$

$5+6=\square$

$6+6=\square$

$3+8=\square$

$4+8=\square$

$5+8=\square$

$6+8=\square$

두 수를 바꾸어 더하면 이어 세기 편리합니다.

덧셈을 해 보세요.

+	3	4	5	6	7	8
5	8 5+3	9 5+4	10 5+5	5+6	5+7	5+8

+	1	2	3	4	5	6
6	7	8				

+	3	4	5	6	7	8
7	10	11				

+	1	2	3	4	5	6
8			11	12		

+	3	4	5	6	7	8
9		13			16	

73 일 식 만들기

세 수를 모두 이용하여 덧셈식 2개를 써 보세요.

4, 7, 11	$7 + 4 = 11$	$4 + 7 = 11$
8, 10, 2	$\square + \square = \square$	$\square + \square = \square$
13, 4, 9	$\square + \square = \square$	$\square + \square = \square$
7, 12, 5	$\square + \square = \square$	$\square + \square = \square$

세 수를 모두 이용하여 덧셈식 2개를 써 보세요.

8, 5, 13

□ + □ = □   □ + □ = □

11, 6, 5

□ + □ = □   □ + □ = □

9, 12, 3

□ + □ = □   □ + □ = □

6, 8, 14

□ + □ = □   □ + □ = □

74일 이야기하기 (1)

물음에 답하세요.

초 9개에 불이 붙어 있는데 3개에 불을 더 붙였습니다. 불이 붙은 초는 모두 몇 개일까요?

식 □ + □ = □　　답 □개

양이 6마리 있습니다. 5마리가 더 온다면 양은 모두 몇 마리가 될까요?

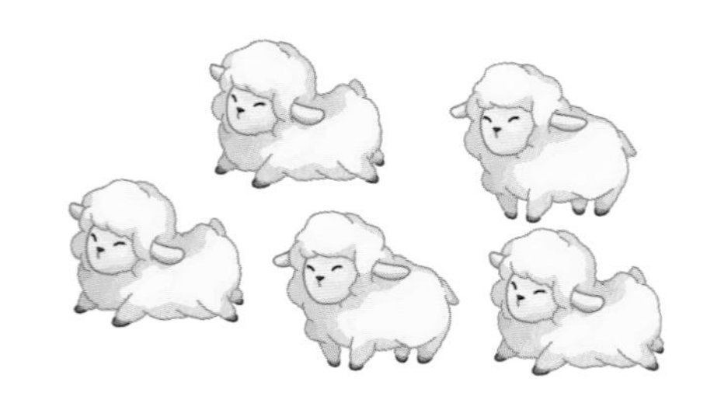

식 □ + □ = □　　답 □마리

물음에 답하세요.

바구니에 딸기 7개가 있는데 6개를 더 넣으면 바구니에는 딸기가 모두 몇 개 있을까요?

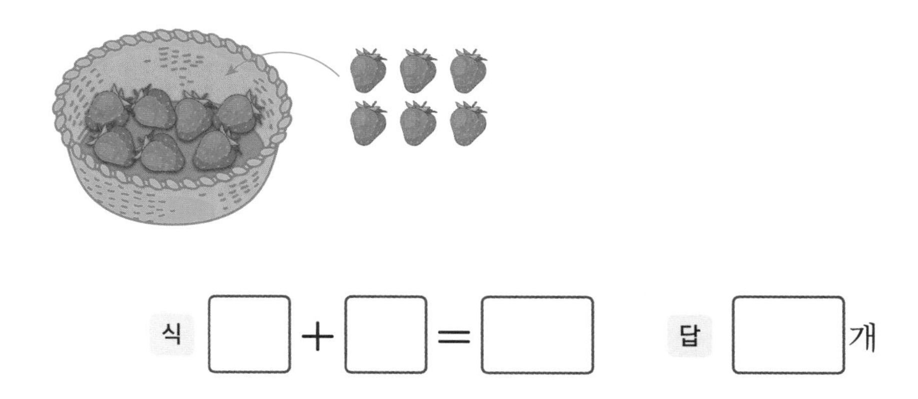

식 □ + □ = □ 답 □ 개

펼친 우산 8개와 접은 우산 4개가 있습니다. 우산은 모두 몇 개일까요?

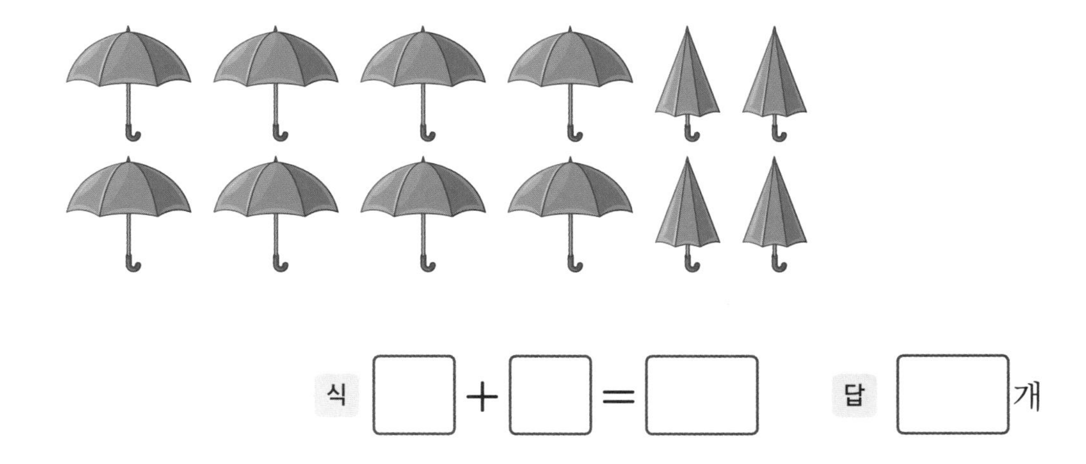

식 □ + □ = □ 답 □ 개

이야기하기

물음에 답하세요.

게임말을 8번째 칸에서 5칸 더 앞으로 간다면 몇 번째 칸에 있을까요?

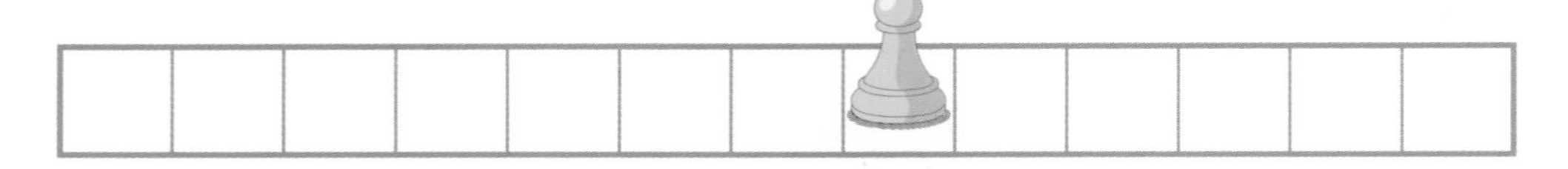

8번째 칸에서 5칸 더 가면
8하고 9, 10, 11, 12, 13입니다.

(　　　　　)번째

펭귄이 깃발 9개를 지났습니다. 3개를 더 지나면 깃발을 모두 몇 개 지날까요?

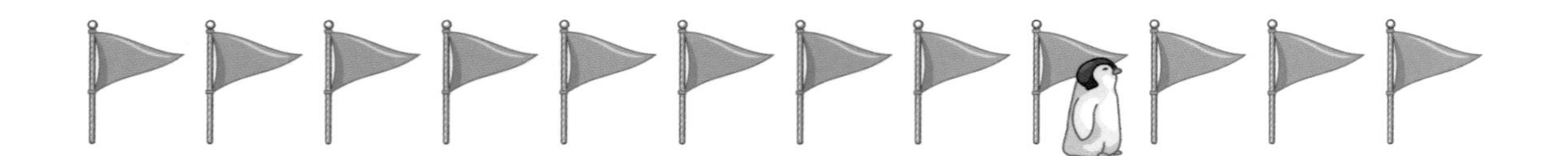

(　　　　　)개

병아리가 7번째 돌다리에서 6개 더 지나면 몇 번째 돌다리에 있을까요?

(　　　　　)번째

물음에 답하세요.

게임말을 지금까지 7칸 움직였습니다. 4칸 더 움직이면 모두 몇 칸 움직일까요?

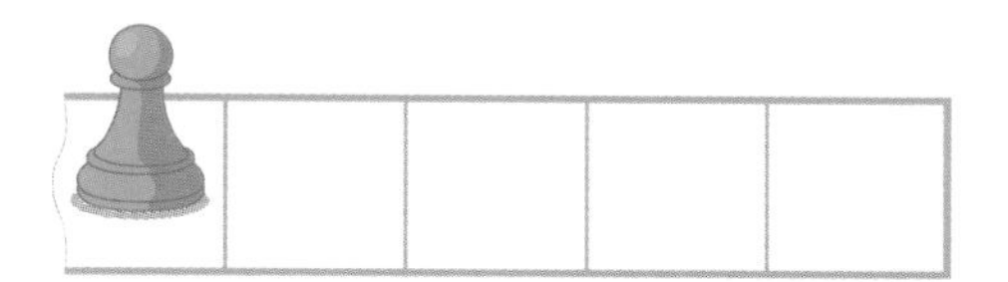

( )칸

나은이가 지금까지 볼링핀을 8개 쓰러뜨렸습니다. 2개를 더 쓰러뜨리면 모두 몇 개 쓰러뜨리는 것일까요?

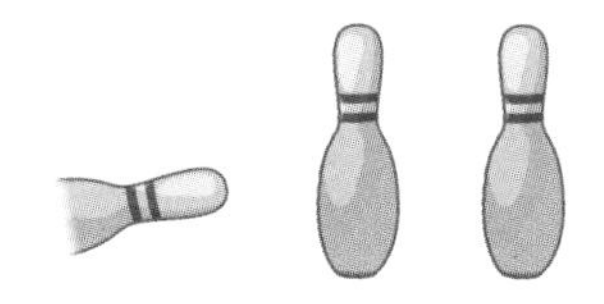

( )개

토끼가 지금까지 나무 9그루를 지났습니다. 6그루를 더 지나면 모두 몇 그루 지날까요?

( )그루

물음에 답하세요.

진우는 밤을 아침에 7개, 저녁에 4개 먹었고, 선예는 밤을 아침에 4개, 저녁에 7개 먹었습니다. 진우와 선예는 밤을 각각 몇 개씩 먹었을까요?

진우 식 ________ 답 ________ 개

선예 식 ________ 답 ________ 개

은재는 색종이를 파란색 9장, 노란색 5장을 가지고 있고, 선아는 파란색 5장, 노란색 9장을 가지고 있습니다. 은재와 선아는 색종이를 각각 몇 장씩 가지고 있을까요?

은재 식 ________ 답 ________ 장

선아 식 ________ 답 ________ 장

동물원에 원숭이가 8마리 있었는데 4마리 더 들어왔고, 너구리가 4마리 있었는데 8마리 더 들어왔습니다. 원숭이와 너구리는 각각 몇 마리 있을까요?

원숭이 식 ________ 답 ________ 마리

너구리 식 ________ 답 ________ 마리

하루 한 장 75일
집중 완성

연산원리 상황판단 복합사고 문제해결

교과 연산

정답

7세~초1

P3

세 수의 덧셈과 뺄셈

HERO

정답

정답

8·9쪽

51일 더하고 더하기

그림을 보고 계산해 보세요.

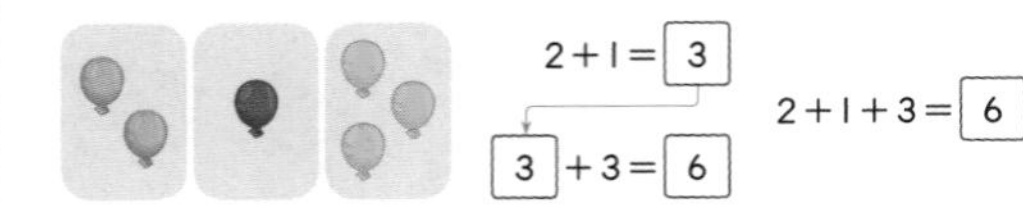

- 2+1=3, 3+3=6, 2+1+3=6
- 1+5=6, 6+2=8, 1+5+2=8
- 4+2=6, 6+1=7, 4+2+1=7
- 2+5=7, 7+2=9, 2+5+2=9

월 일

○를 그려 계산해 보세요.

세 수만큼 ○를 그리고 그린 ○를 모두 셉니다.

1+3+4=8	5+1+1=7
2+4+2=8	3+2+1=6
3+5+1=9	4+1+3=8
3+3+3=9	2+2+3=7

10·11쪽

52일 세 수의 덧셈 (1)

계산해 보세요.

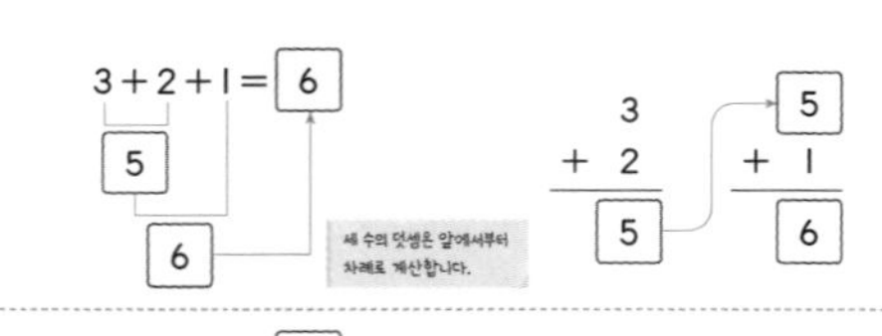

세 수의 덧셈은 앞에서부터 차례로 계산합니다.

- 3+2+1=6 (5, 6) / 3+2=5, 5+1=6
- 3+4+2=9 (7, 9) / 3+4=7, 7+2=9
- 2+5+1=8 (7, 8) / 2+5=7, 7+1=8
- 4+1+4=9 (5, 9) / 4+1=5, 5+4=9

월 일

계산해 보세요.

4+2+1=7	1+1+3=5
3+1+3=7	2+4+1=7
6+1+2=9	1+4+3=8
2+2+1=5	3+2+2=7
1+2+4=7	5+1+2=8
2+1+3=6	7+1+1=9
4+2+2=8	2+3+4=9

12·13쪽

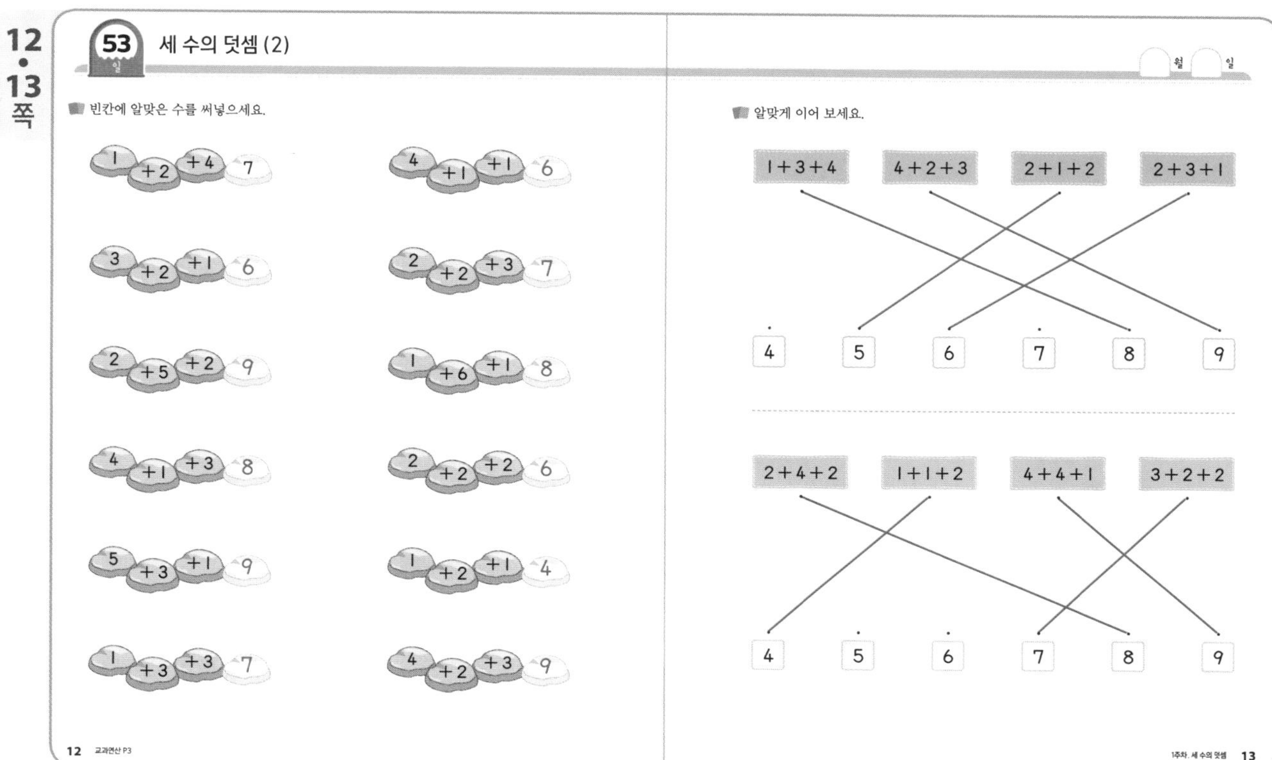

53 세 수의 덧셈 (2)

월 일

빈칸에 알맞은 수를 써넣으세요.

- 1 +2 +4 7
- 4 +1 +1 6
- 3 +2 +1 6
- 2 +2 +3 7
- 2 +5 +2 9
- 1 +6 +1 8
- 4 +1 +3 8
- 2 +2 +2 6
- 5 +3 +1 9
- 1 +2 +1 4
- 1 +3 +3 7
- 4 +2 +3 9

알맞게 이어 보세요.

1+3+4 — 8, 4+2+3 — 9, 2+1+2 — 5, 2+3+1 — 6

4 5 6 7 8 9

2+4+2 — 8, 1+1+2 — 4, 4+4+1 — 9, 3+2+2 — 7

4 5 6 7 8 9

14·15쪽

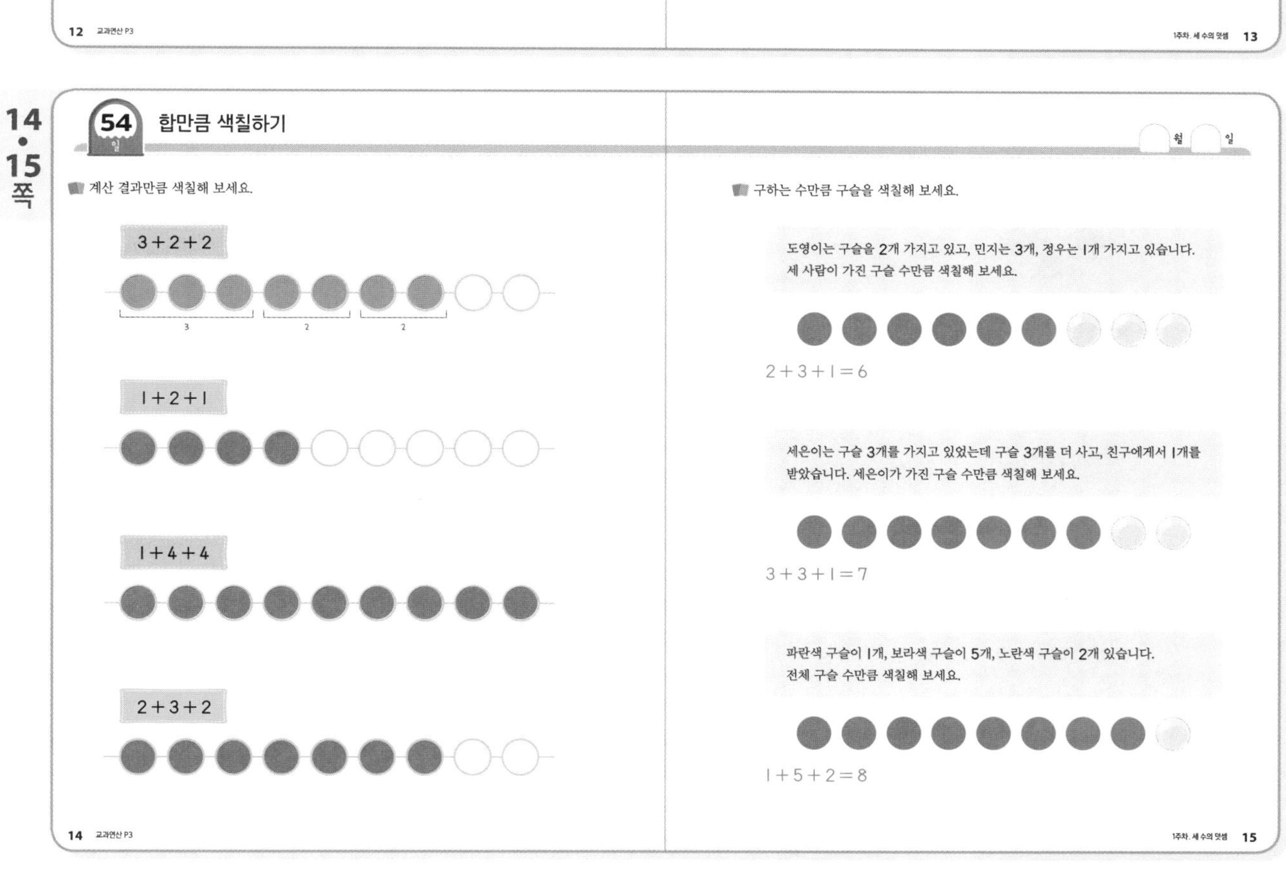

54 합만큼 색칠하기

월 일

계산 결과만큼 색칠해 보세요.

3+2+2 (3 2 2)

1+2+1

1+4+4

2+3+2

구하는 수만큼 구슬을 색칠해 보세요.

도영이는 구슬을 2개 가지고 있고, 민지는 3개, 정우는 1개 가지고 있습니다. 세 사람이 가진 구슬 수만큼 색칠해 보세요.

2+3+1=6

세은이는 구슬 3개를 가지고 있었는데 구슬 3개를 더 사고, 친구에게서 1개를 받았습니다. 세은이가 가진 구슬 수만큼 색칠해 보세요.

3+3+1=7

파란색 구슬이 1개, 보라색 구슬이 5개, 노란색 구슬이 2개 있습니다. 전체 구슬 수만큼 색칠해 보세요.

1+5+2=8

16·17쪽

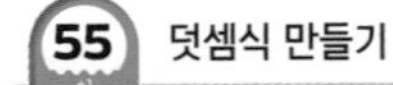

그림에 알맞은 식을 만들고 계산해 보세요.

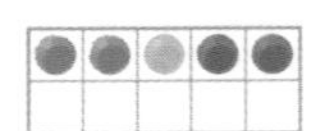

2+1+2=5

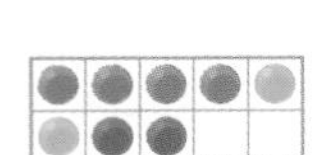

4+2+2=8

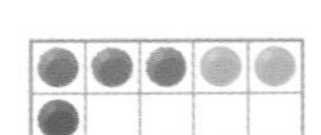

3+2+1=6

1+4+3=8

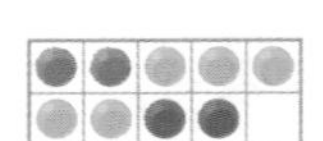

2+5+2=9
또는 2 5

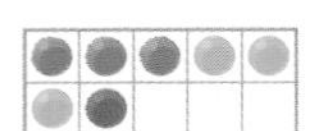

3+3+1=7
또는 1 3

4+2+1=7
더하는 세 수를 쓰는 순서는 바뀌어도 됩니다.

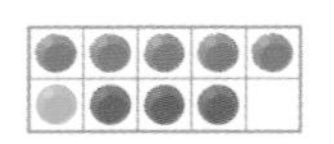

5+1+3=9
더하는 세 수를 쓰는 순서는 바뀌어도 됩니다.

그림을 보고 식을 써 보세요.

2+2+2=6

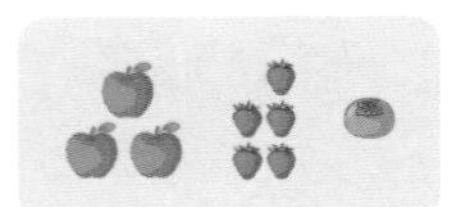

3+5+1=9

1+2+4=7
또는 4 2

4+3+2=9
또는 2 3

2+1+3=6
더하는 세 수를 쓰는 순서는 바뀌어도 됩니다.

3+1+2=6
더하는 세 수를 쓰는 순서는 바뀌어도 됩니다.

18쪽

빈칸에 알맞은 수를 써넣고 식을 써 보세요.

종이비행기가 빨간색이 3개, 보라색이 3개, 파란색이 2개 있습니다. 종이비행기는 모두 8개입니다.

3+3+2=8
더하는 세 수를 쓰는 순서는 바뀌어도 됩니다.

축구 경기 결과
1반 4반
4 0

1반은 2반과의 경기에서 2골, 3반과의 경기에서 1골, 4반과의 경기에서 4골 넣었습니다. 1반이 넣은 골은 모두 7골입니다.

2+1+4=7
더하는 세 수를 쓰는 순서는 바뀌어도 됩니다.

20·21쪽

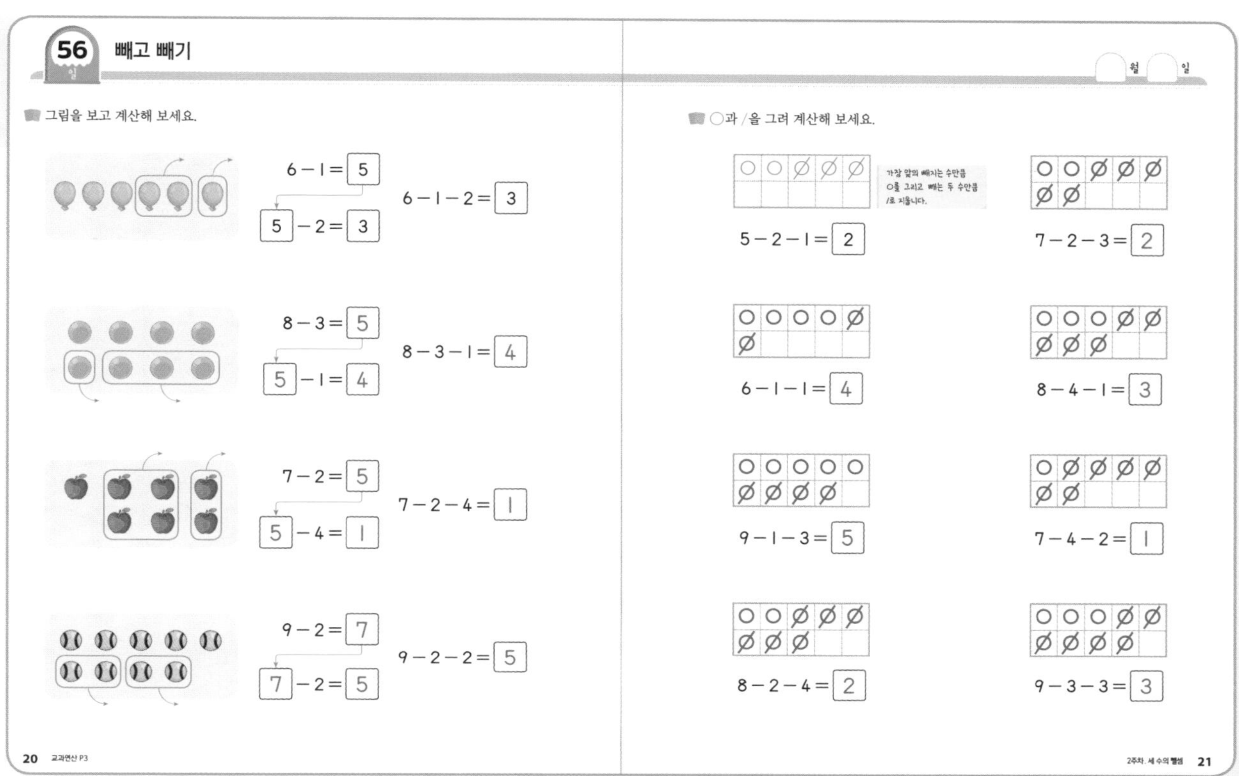

56 빼고 빼기

월 일

그림을 보고 계산해 보세요.

6 − 1 = 5
5 − 2 = 3
6 − 1 − 2 = 3

8 − 3 = 5
5 − 1 = 4
8 − 3 − 1 = 4

7 − 2 = 5
5 − 4 = 1
7 − 2 − 4 = 1

9 − 2 = 7
7 − 2 = 5
9 − 2 − 2 = 5

○과 /을 그려 계산해 보세요.

가장 앞의 빼지는 수만큼 ○를 그리고 빼는 두 수만큼 /로 지웁니다.

5 − 2 − 1 = 2
7 − 2 − 3 = 2
6 − 1 − 1 = 4
8 − 4 − 1 = 3
9 − 1 − 3 = 5
7 − 4 − 2 = 1
8 − 2 − 4 = 2
9 − 3 − 3 = 3

20 교과연산 P3

2주차. 세 수의 뺄셈 21

22·23쪽

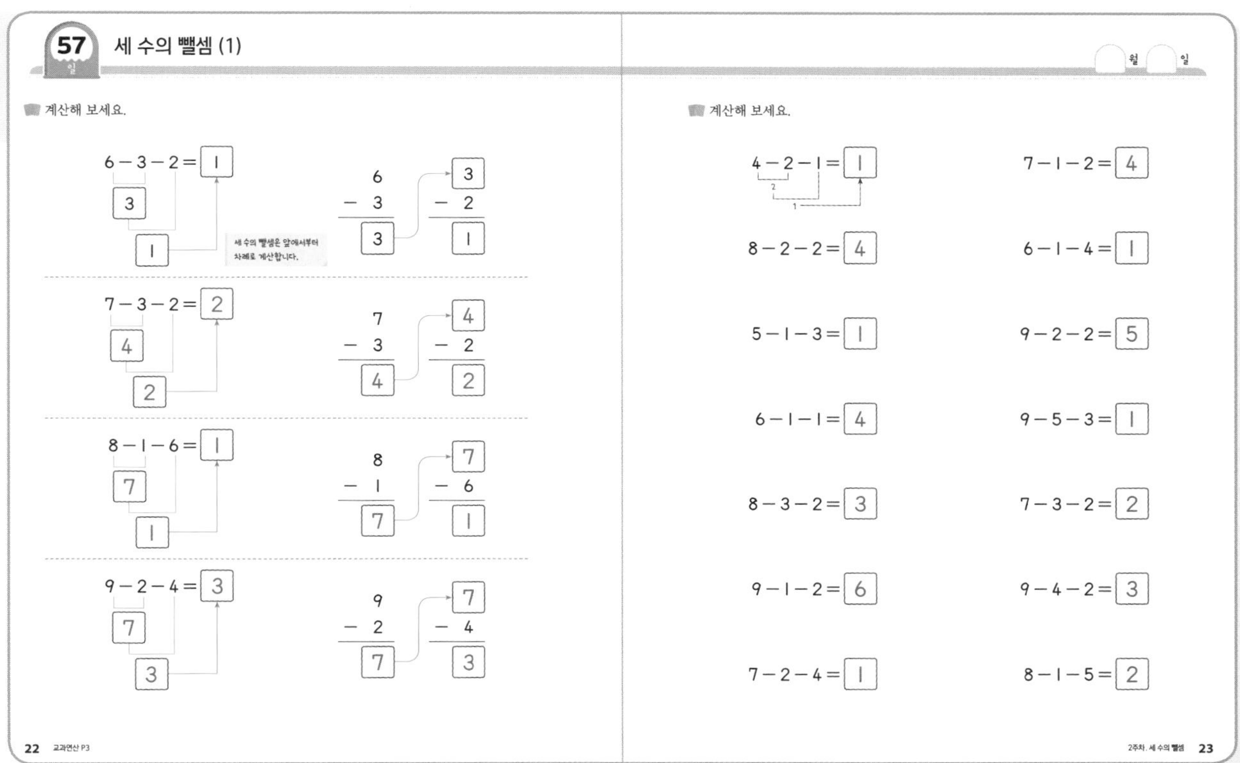

57 세 수의 뺄셈 (1)

월 일

계산해 보세요.

6 − 3 − 2 = 1 (6 − 3 = 3, 3 − 2 = 1)

세 수의 뺄셈은 앞에서부터 차례로 계산합니다.

7 − 3 − 2 = 2 (7 − 3 = 4, 4 − 2 = 2)

8 − 1 − 6 = 1 (8 − 1 = 7, 7 − 6 = 1)

9 − 2 − 4 = 3 (9 − 2 = 7, 7 − 4 = 3)

계산해 보세요.

4 − 2 − 1 = 1
7 − 1 − 2 = 4
8 − 2 − 2 = 4
6 − 1 − 4 = 1
5 − 1 − 3 = 1
9 − 2 − 2 = 5
6 − 1 − 1 = 4
9 − 5 − 3 = 1
8 − 3 − 2 = 3
7 − 3 − 2 = 2
9 − 1 − 2 = 6
9 − 4 − 2 = 3
7 − 2 − 4 = 1
8 − 1 − 5 = 2

22 교과연산 P3

2주차. 세 수의 뺄셈 23

정답

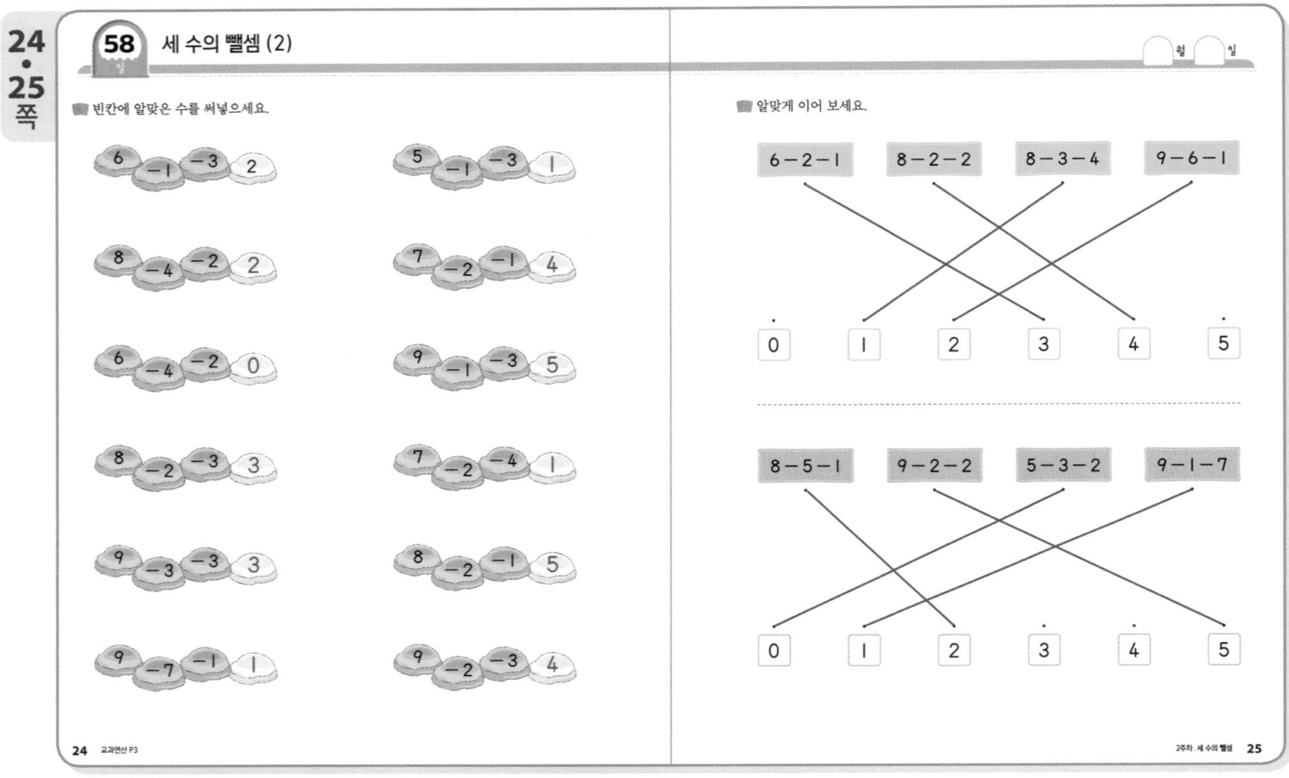
24·25쪽
58 세 수의 뺄셈 (2)
월 일
빈칸에 알맞은 수를 써넣으세요.
6 −1 −3 2
5 −1 −3 1
8 −4 −2 2
7 −2 −1 4
6 −4 −2 0
9 −1 −3 5
8 −2 −3 3
7 −2 −4 1
9 −3 −3 3
8 −2 −1 5
9 −7 −1 1
9 −2 −3 4
알맞게 이어 보세요.
6 − 2 − 1
8 − 2 − 2
8 − 3 − 4
9 − 6 − 1
0 1 2 3 4 5
8 − 5 − 1
9 − 2 − 2
5 − 3 − 2
9 − 1 − 7
0 1 2 3 4 5
24 교과연산 P3
2주차. 세 수의 뺄셈 25

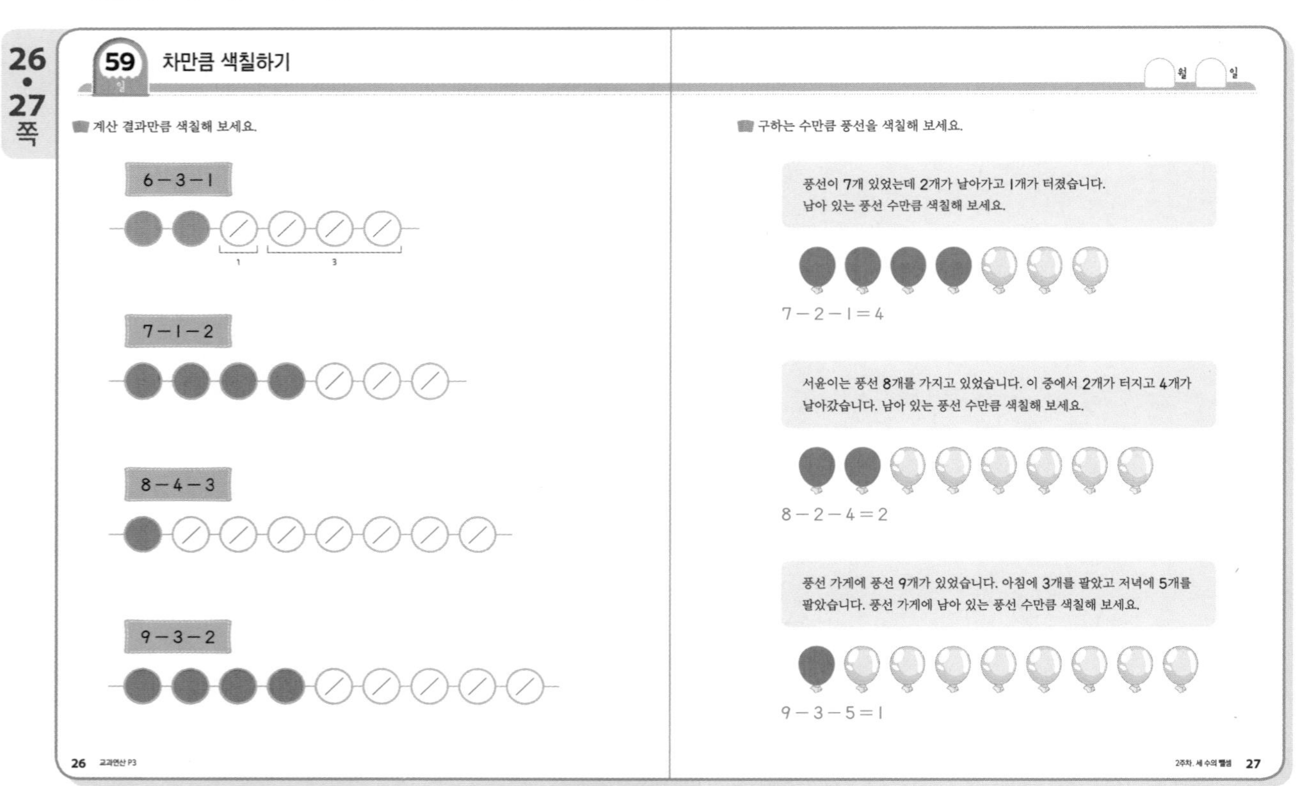
26·27쪽
59 차만큼 색칠하기
월 일
계산 결과만큼 색칠해 보세요.
6 − 3 − 1
1 3
7 − 1 − 2
8 − 4 − 3
9 − 3 − 2
구하는 수만큼 풍선을 색칠해 보세요.
풍선이 7개 있었는데 2개가 날아가고 1개가 터졌습니다.
남아 있는 풍선 수만큼 색칠해 보세요.
7 − 2 − 1 = 4
서윤이는 풍선 8개를 가지고 있었습니다. 이 중에서 2개가 터지고 4개가
날아갔습니다. 남아 있는 풍선 수만큼 색칠해 보세요.
8 − 2 − 4 = 2
풍선 가게에 풍선 9개가 있었습니다. 아침에 3개를 팔았고 저녁에 5개를
팔았습니다. 풍선 가게에 남아 있는 풍선 수만큼 색칠해 보세요.
9 − 3 − 5 = 1
26 교과연산 P3
2주차. 세 수의 뺄셈 27

28 • 29 쪽

60 일 뺄셈식 만들기

월 일

그림에 알맞은 식을 만들고 계산해 보세요.

6 − 2 − 2 = 2

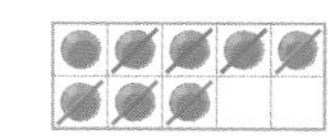

8 − 4 − 3 = 1

5 − 1 − 2 = 2

9 − 3 − 1 = 5

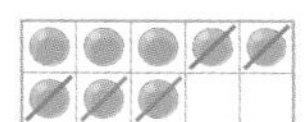

8 − 2 − 3 = 3
또는 3 2

7 − 3 − 1 = 3
또는 1 3

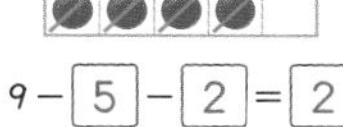

7 − 3 − 3 = 1

9 − 5 − 2 = 2
또는 2 5

그림을 보고 식을 써 보세요.

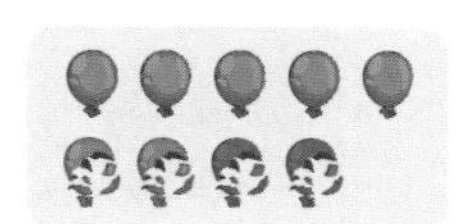

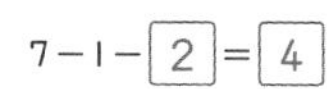

7 − 1 − 2 = 4

9 − 2 − 2 = 5

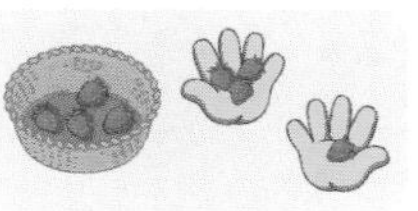

8 − 1 − 3 = 4
또는 3 1

9 − 1 − 1 = 7

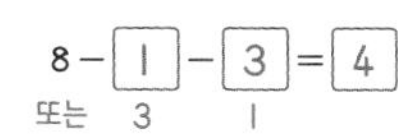

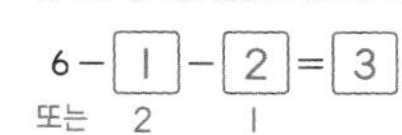

6 − 1 − 2 = 3
또는 2 1

9 − 3 − 3 = 3

30 쪽

빈칸에 알맞은 수를 써넣고 식을 써 보세요.

컵 9개 중에서 물이 든 컵은 3 개, 주스가 든 컵은 4 개이므로 빈 컵은 2 개입니다.

9 − 3 − 4 = 2
또는 4 3

식빵 8개 중에서 4 개는 접시에 담고 3 개는 바구니에 담았습니다. 남은 식빵은 1 개입니다.

8 − 4 − 3 = 1
또는 3 4

32·33쪽

61 세 수의 계산

월 일

계산해 보세요.

1+2+3=6
1+3+2=6
2+1+3=6
3+2+1=6

세 수의 덧셈은 더하는 순서를 바꾸어도 결과가 같습니다.

5+1+2=8
1+2+5=8
2+5+1=8
2+1+5=8

2+1+4=7
2+4+1=7
1+2+4=7
4+2+1=7

4+2+3=9
3+4+2=9
3+2+4=9
2+3+4=9

계산해 보세요.

6−2−1=3
6−1−2=3

세 수의 뺄셈은 빼는 두 수의 순서를 바꾸어도 결과가 같습니다.

7−3−2=2
7−2−3=2

8−3−4=1
8−4−3=1

9−1−3=5
9−3−1=5

9−2−4=3
9−4−2=3

8−5−1=2
8−1−5=2

34·35쪽

62 이야기하기 (1)

월 일

물음에 답하세요.

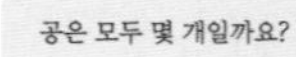

공은 모두 몇 개일까요?

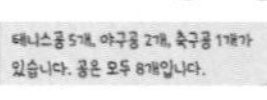

테니스공 5개, 야구공 2개, 축구공 1개가 있습니다. 공은 모두 8개입니다.

식 5+2+1=8 답 8개
또는 1 2

풍선 몇 개가 터지고 몇 개가 날아갔습니다. 남은 풍선은 몇 개일까요?

식 9−3−1=5 답 5개
또는 1 3

책장에 꽂혀 있는 책의 수를 나타낸 것입니다. 책은 모두 몇 권일까요?

동화책	만화책	위인전
4권	1권	2권

식 4+1+2=7 답 7권
또는 2 1

그림을 보고 물음에 답하세요.

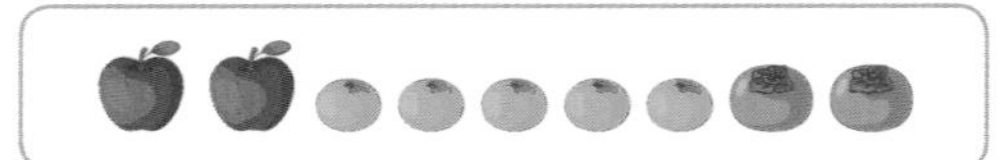

과일은 모두 몇 개인지 덧셈식을 쓰고 답을 구하세요.

식 2+5+2=9 답 9개
또는 5 2 2
2 2 5

전체 과일 중에서 귤은 몇 개인지 뺄셈식을 쓰고 답을 구하세요.

식 9−2−2=5 답 5개

전체 과일 중에서 사과는 몇 개인지 뺄셈식을 쓰고 답을 구하세요.

식 9−5−2=2 답 2개
또는 9 2 5

36·37쪽

63 이야기하기 (2)

월 일

물음에 답하세요.

다람쥐가 도토리를 아침에 3개, 점심에 1개, 저녁에 3개 먹었습니다. 다람쥐가 먹은 도토리는 모두 몇 개일까요?

덧셈 상황인지 뺄셈 상황인지 파악합니다.

식 $3+1+3=7$ 답 7 개

빵 9개가 있습니다. 민아가 2개를 먹고 우성이가 3개를 먹었습니다. 남아 있는 빵은 몇 개일까요?

식 $9-2-3=4$ 답 4 개
또는 $9-3-2=4$

윤서네 집은 1층, 민준이네 집은 윤서네 집보다 4층 더 높습니다. 지유네 집은 민준이네 집보다 2층 더 높습니다. 지유네 집은 몇 층일까요?

식 $1+4+2=7$ 답 7 층

색종이 8장 중에서 종이배를 접는 데 5장, 종이비행기를 접는 데 2장 사용했습니다. 남은 색종이는 몇 장일까요?

식 $8-5-2=1$ 답 1 장
또는 $8-2-5=1$

물음에 답하세요.

버스에 6명이 타고 있었습니다. 박물관 앞에서 2명이 내리고 영화관 앞에서 3명이 내렸습니다. 버스에 남은 사람은 몇 명일까요?

식 $6-2-3=1$ 답 1 명
또는 $6-3-2=1$

안경을 쓴 학생이 1반에는 4명, 2반에는 3명, 3반에는 2명 있습니다. 세 반에서 안경을 쓴 학생은 모두 몇 명일까요?

식 $4+3+2=9$ 답 9 명
더하는 세 수를 쓰는 순서는 바뀌어도 됩니다.

하은이는 수학 문제 8문제 중에 어제 2문제를 풀고 오늘 3문제를 풀었습니다. 몇 문제를 더 풀어야 수학 문제를 모두 풀 수 있을까요?

식 $8-2-3=3$ 답 3 문제
또는 $8-3-2=3$

상은이가 사탕 5개를 먹고 원재가 3개를 먹었더니 남은 사탕이 1개입니다. 처음에 사탕은 몇 개 있었을까요?

식 $5+3+1=9$ 답 9 개
더하는 세 수를 쓰는 순서는 바뀌어도 됩니다.

38·39쪽

64 사다리 타기

월 일

선을 따라 내려가다 갈림길을 만나면 옆으로 갑니다. 빈칸에 알맞은 수를 써넣으세요.

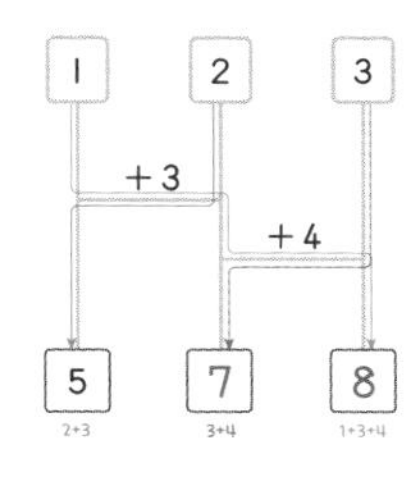

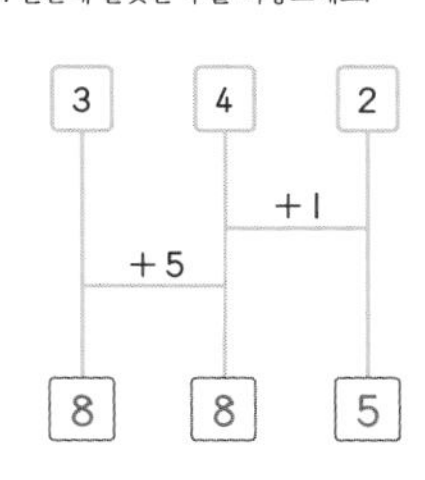

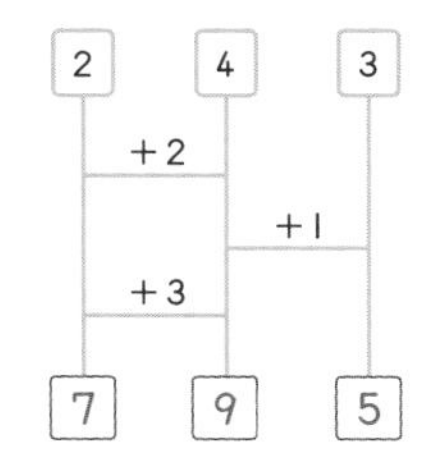

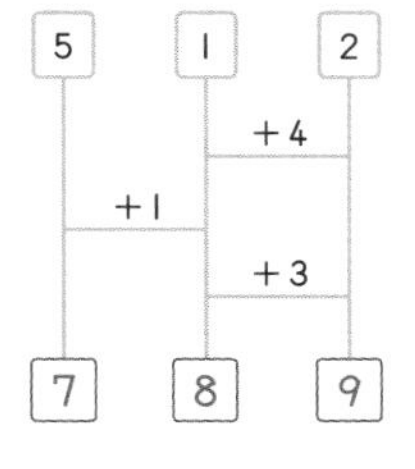

선을 따라 내려가다 갈림길을 만나면 옆으로 갑니다. 빈칸에 알맞은 수를 써넣으세요.

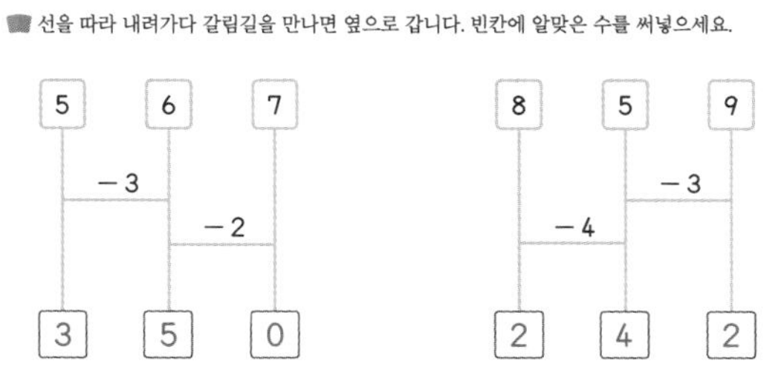

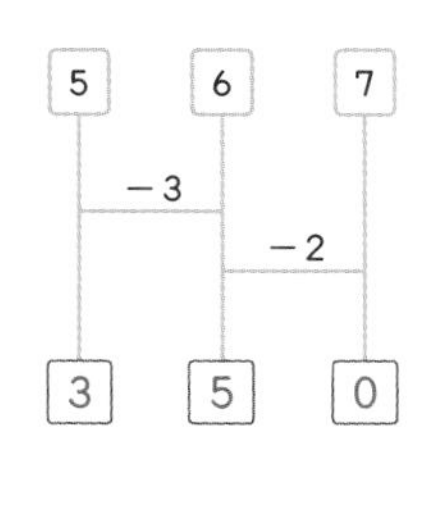

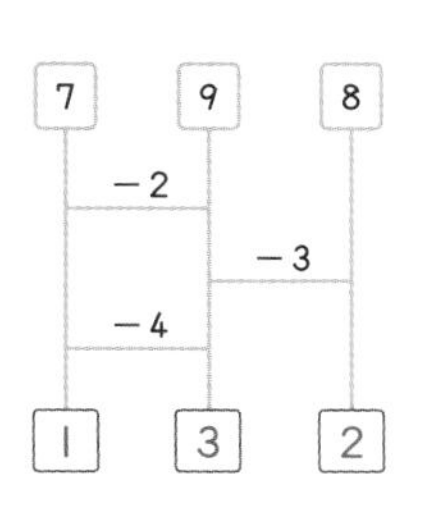

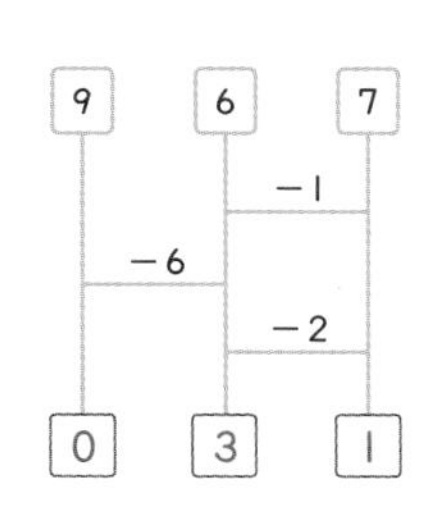

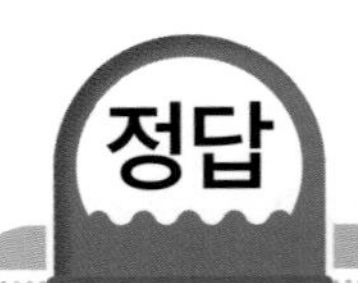

40 · 41쪽

65 식 완성하기

월 일

수 카드 중 2장을 골라 써넣어 식을 완성해 보세요.

1 3 4 : $2+\boxed{1}+\boxed{3}=6$ 또는 3, 1

2 3 3 : $1+\boxed{3}+\boxed{3}=7$

1 2 4 : $3+\boxed{1}+\boxed{4}=8$ 또는 4, 1

2 3 4 : $2+\boxed{3}+\boxed{4}=9$ 또는 4, 3

5 4 1 : $\boxed{5}+3+\boxed{1}=9$ 또는 1, 5

1 2 1 : $\boxed{1}+5+\boxed{1}=7$

4 2 1 : $\boxed{4}+2+\boxed{2}=8$ 또는 2, 4

3 4 4 : $\boxed{4}+1+\boxed{4}=9$

수 카드 중 2장을 골라 써넣어 식을 완성해 보세요.

1 2 2 : $6-\boxed{2}-\boxed{2}=2$

1 2 4 : $7-\boxed{2}-\boxed{4}=1$ 또는 4, 2

1 4 5 : $8-\boxed{1}-\boxed{4}=3$ 또는 4, 1

3 4 3 : $9-\boxed{3}-\boxed{3}=3$

3 6 9 : $\boxed{9}-2-\boxed{3}=4$

1 3 6 : $\boxed{6}-1-\boxed{3}=2$

1 6 7 : $\boxed{7}-3-\boxed{1}=3$

3 8 9 : $\boxed{8}-4-\boxed{3}=1$

42쪽

가장 큰 수에서 나머지 두 수를 뺀 값을 구해 보세요.

7 1 2 : (4)
가장 큰 수: 7
7−1−2=4

2 5 1 : (2)
$5-2-1=2$

3 9 4 : (2)
$9-3-4=2$

8 2 2 : (4)
$8-2-2=4$

3 2 6 : (1)
$6-3-2=1$

4 7 3 : (0)
$7-4-3=0$

9 2 1 : (6)
$9-2-1=6$

4 2 8 : (2)
$8-4-2=2$

44·45쪽

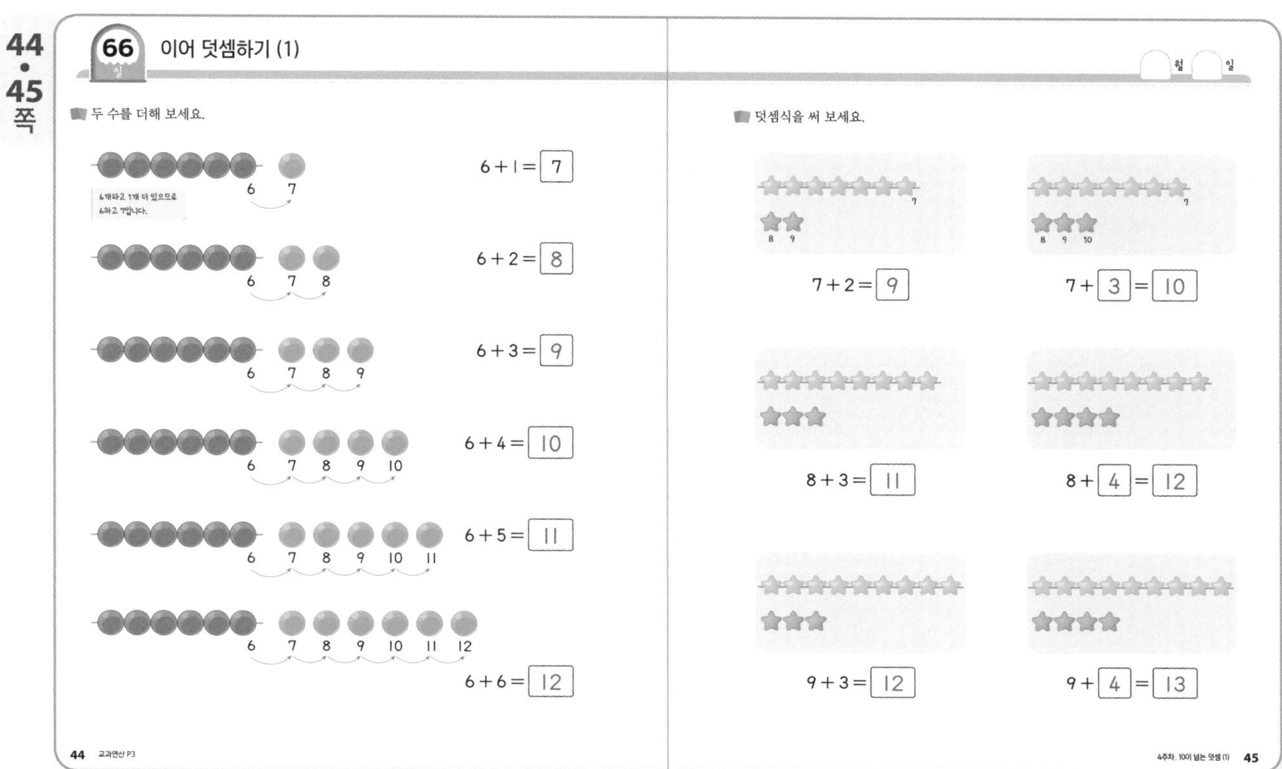

66일 이어 덧셈하기 (1)

월 일

두 수를 더해 보세요.

6개하고 1개 더 있으므로 6하고 7입니다.

6 + 1 = 7

6 + 2 = 8

6 + 3 = 9

6 + 4 = 10

6 + 5 = 11

6 + 6 = 12

덧셈식을 써 보세요.

7 + 2 = 9

7 + 3 = 10

8 + 3 = 11

8 + 4 = 12

9 + 3 = 12

9 + 4 = 13

44 교과연산 P3

4주차. 10이 넘는 덧셈 (1) 45

46·47쪽

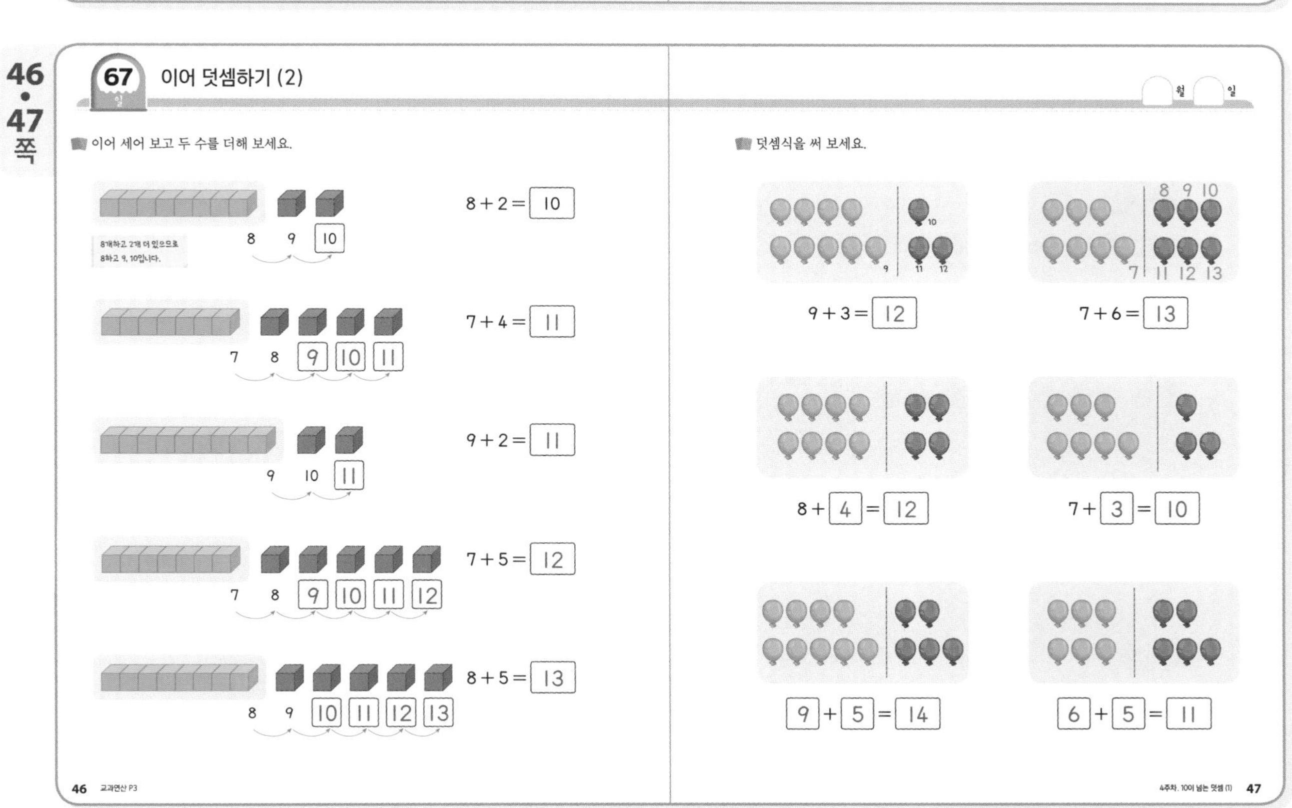

67일 이어 덧셈하기 (2)

월 일

이어 세어 보고 두 수를 더해 보세요.

8개하고 2개 더 있으므로 8하고 9, 10입니다.

8 + 2 = 10 (8, 9, 10)

7 + 4 = 11 (7, 8, 9, 10, 11)

9 + 2 = 11 (9, 10, 11)

7 + 5 = 12 (7, 8, 9, 10, 11, 12)

8 + 5 = 13 (8, 9, 10, 11, 12, 13)

덧셈식을 써 보세요.

9 + 3 = 12

7 + 6 = 13

8 + 4 = 12

7 + 3 = 10

9 + 5 = 14

6 + 5 = 11

46 교과연산 P3

4주차. 10이 넘는 덧셈 (1) 47

48 • 49 쪽

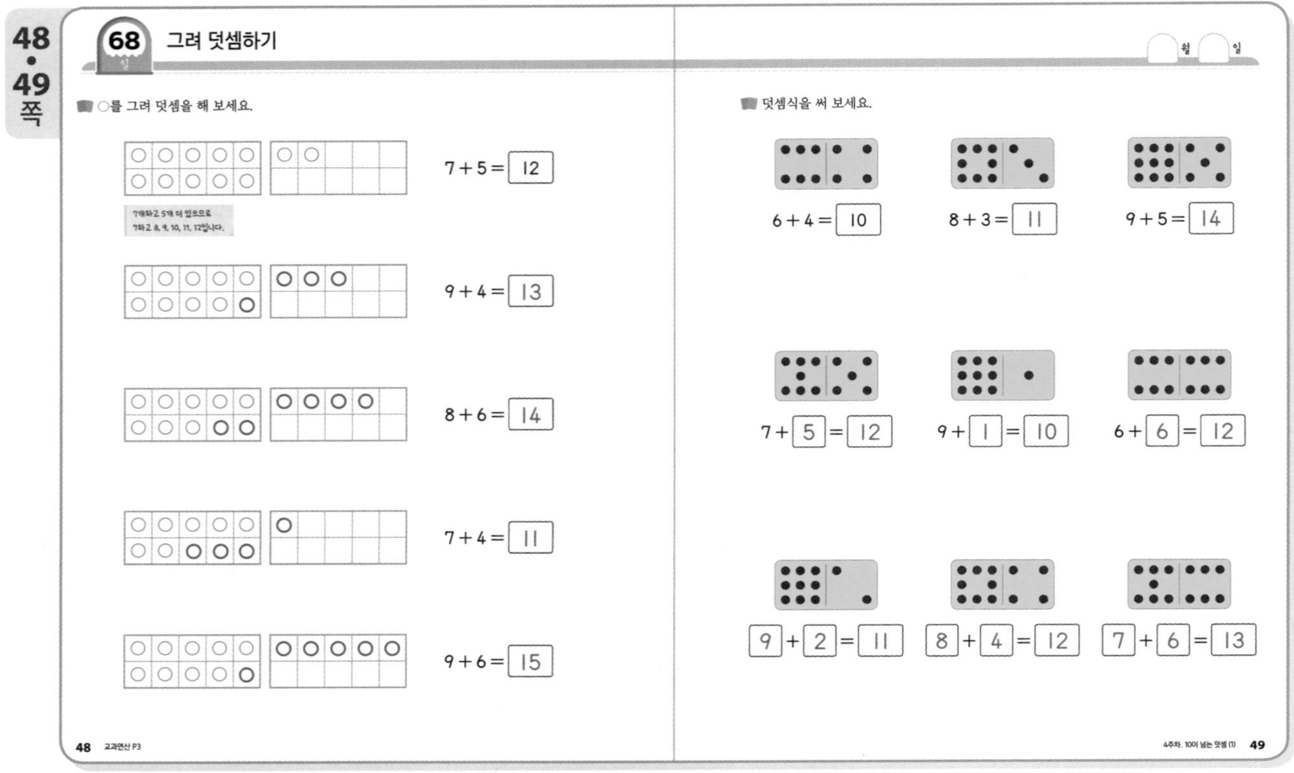

68 그려 덧셈하기

월 일

○를 그려 덧셈을 해 보세요.

7 + 5 = 12

7개하고 5개 더 있으므로 7하고 8, 9, 10, 11, 12입니다.

9 + 4 = 13

8 + 6 = 14

7 + 4 = 11

9 + 6 = 15

덧셈식을 써 보세요.

6 + 4 = 10

8 + 3 = 11

9 + 5 = 14

7 + 5 = 12

9 + 1 = 10

6 + 6 = 12

9 + 2 = 11

8 + 4 = 12

7 + 6 = 13

48 교과연산 P3

4주차. 10이 넘는 덧셈 (1) 49

50 • 51 쪽

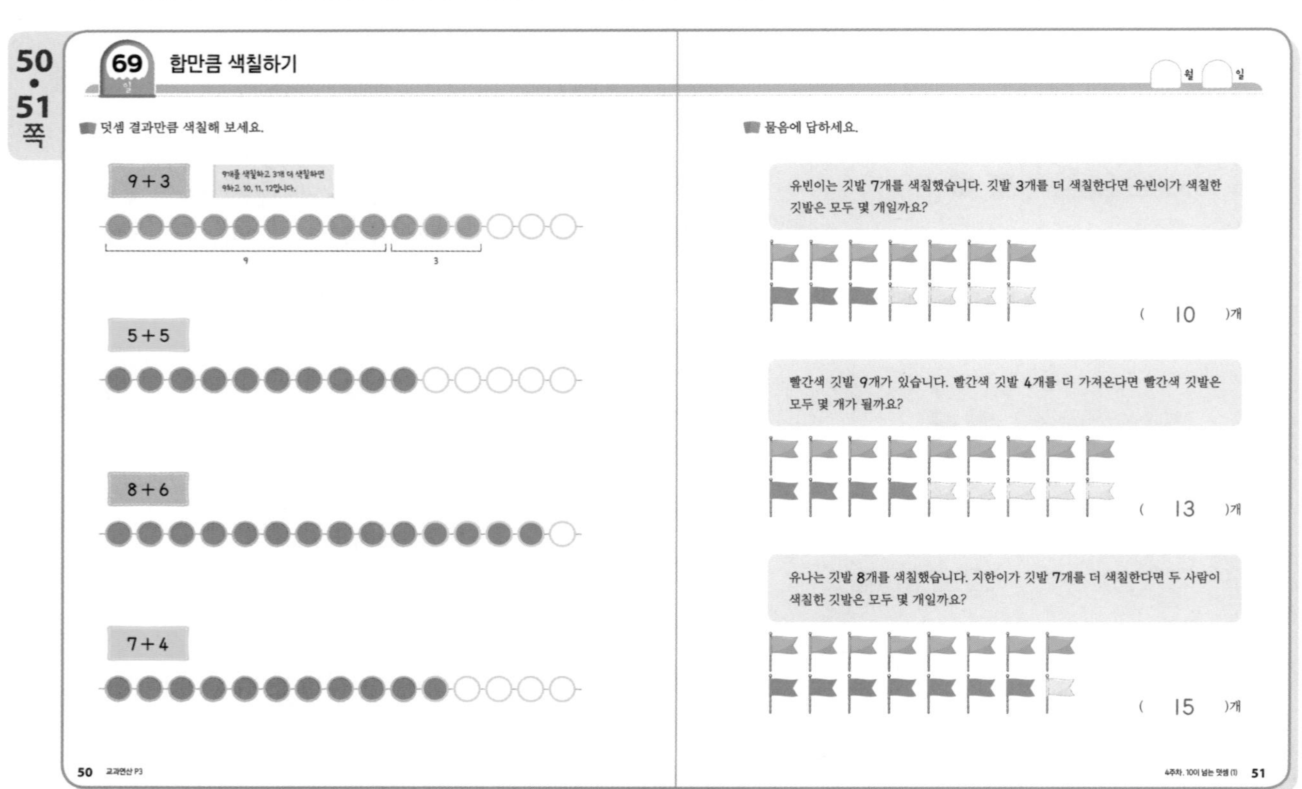

69 합만큼 색칠하기

월 일

덧셈 결과만큼 색칠해 보세요.

9 + 3

9개를 색칠하고 3개 더 색칠하면 9하고 10, 11, 12입니다.

9 3

5 + 5

8 + 6

7 + 4

물음에 답하세요.

유빈이는 깃발 7개를 색칠했습니다. 깃발 3개를 더 색칠한다면 유빈이가 색칠한 깃발은 모두 몇 개일까요?

(10)개

빨간색 깃발 9개가 있습니다. 빨간색 깃발 4개를 더 가져온다면 빨간색 깃발은 모두 몇 개가 될까요?

(13)개

유나는 깃발 8개를 색칠했습니다. 지한이가 깃발 7개를 더 색칠한다면 두 사람이 색칠한 깃발은 모두 몇 개일까요?

(15)개

50 교과연산 P3

4주차. 10이 넘는 덧셈 (1) 51

52 • 53 쪽

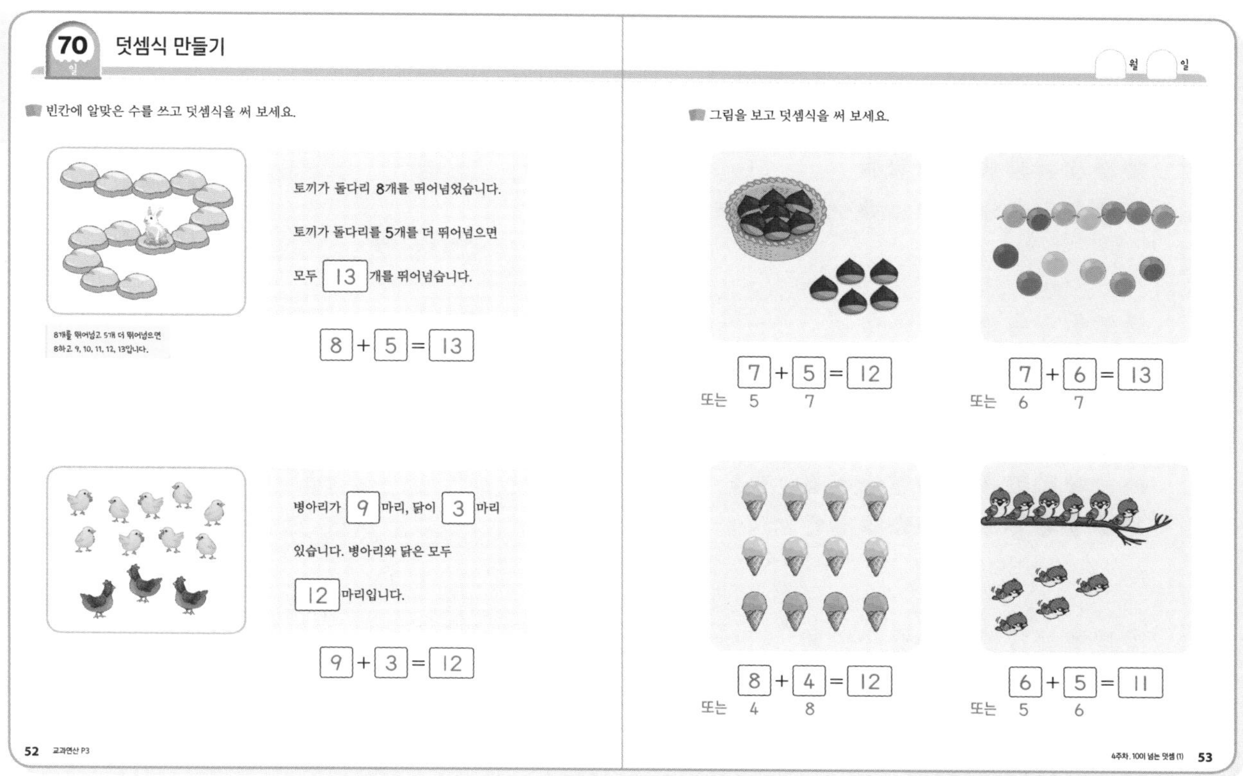
70 덧셈식 만들기
빈칸에 알맞은 수를 쓰고 덧셈식을 써 보세요.
토끼가 돌다리 8개를 뛰어넘었습니다.
토끼가 돌다리를 5개를 더 뛰어넘으면
모두 13 개를 뛰어넘습니다.
8 + 5 = 13
병아리가 9 마리, 닭이 3 마리
있습니다. 병아리와 닭은 모두
12 마리입니다.
9 + 3 = 12
그림을 보고 덧셈식을 써 보세요.
7 + 5 = 12
또는 5 7
7 + 6 = 13
또는 6 7
8 + 4 = 12
또는 4 8
6 + 5 = 11
또는 5 6

54 쪽

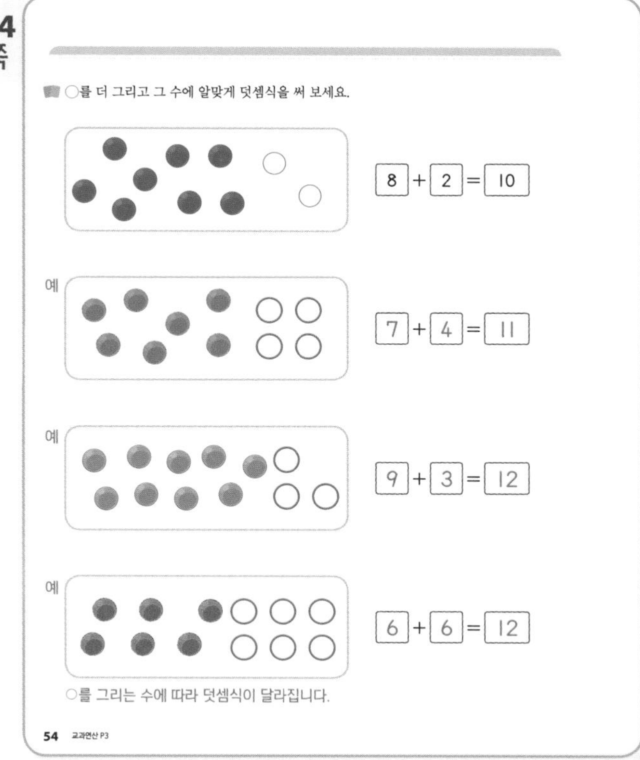
○를 더 그리고 그 수에 알맞게 덧셈식을 써 보세요.
8 + 2 = 10
예
7 + 4 = 11
예
9 + 3 = 12
예
6 + 6 = 12
○를 그리는 수에 따라 덧셈식이 달라집니다.

정답

56 • 57 쪽

71 바꾸어 더하기

덧셈을 해 보세요.

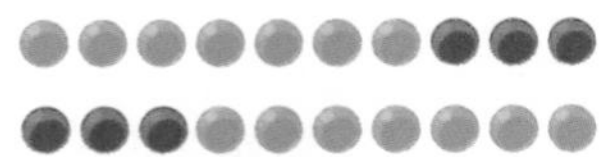

7 + 3 = 10

3 + 7 = 10

두 수를 바꾸어 더해도 결과는 같습니다.

9 + 2 = 11

2 + 9 = 11

7 + 5 = 12

5 + 7 = 12

8 + 4 = 12

4 + 8 = 12

합이 같은 것끼리 이어 보세요.

- 9 + 3 — 3 + 9
- 5 + 6 — 6 + 5
- 8 + 5 — 5 + 8

- 7 + 4 — 4 + 7
- 9 + 5 — 5 + 9
- 4 + 8 — 8 + 4

- 4 + 9 — 9 + 4
- 6 + 8 — 8 + 6
- 8 + 7 — 7 + 8

- 5 + 7 — 7 + 5
- 7 + 6 — 6 + 7
- 3 + 8 — 8 + 3

58 • 59 쪽

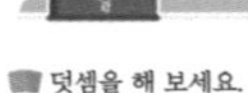

72 연속 덧셈

덧셈을 해 보세요.

7 + 1 = 8

7 + 2 = 9

7 + 3 = 10

7 + 4 = 11

7 + 5 = 12

9 + 1 = 10

9 + 2 = 11

9 + 3 = 12

9 + 4 = 13

9 + 5 = 14

더하는 수가 1씩 커지면 합도 1씩 커집니다.

3 + 6 = 9

4 + 6 = 10

5 + 6 = 11

6 + 6 = 12

3 + 8 = 11

4 + 8 = 12

5 + 8 = 13

6 + 8 = 14

두 수를 바꾸어 더하면 이어 세기 편리합니다.

덧셈을 해 보세요.

+	3	4	5	6	7	8
5	8 (5+3)	9 (5+4)	10 (5+5)	11 (5+6)	12 (5+7)	13 (5+8)

+	1	2	3	4	5	6
6	7	8	9	10	11	12

+	3	4	5	6	7	8
7	10	11	12	13	14	15

+	1	2	3	4	5	6
8	9	10	11	12	13	14

+	3	4	5	6	7	8
9	12	13	14	15	16	17

60·61쪽

73일 식 만들기

월 일

세 수를 모두 이용하여 덧셈식 2개를 써 보세요.

세 수	덧셈식 1	덧셈식 2
4, 7, 11	7 + 4 = 11	4 + 7 = 11
8, 10, 2	8 + 2 = 10	2 + 8 = 10
13, 4, 9	9 + 4 = 13	4 + 9 = 13
7, 12, 5	7 + 5 = 12	5 + 7 = 12

세 수를 모두 이용하여 덧셈식 2개를 써 보세요.

세 수	덧셈식 1	덧셈식 2
8, 5, 13	8 + 5 = 13	5 + 8 = 13
11, 6, 5	6 + 5 = 11	5 + 6 = 11
9, 12, 3	9 + 3 = 12	3 + 9 = 12
6, 8, 14	8 + 6 = 14	6 + 8 = 14

62·63쪽

74일 이야기하기 (1)

월 일

물음에 답하세요.

초 9개에 불이 붙어 있는데 3개에 불을 더 붙였습니다. 불이 붙은 초는 모두 몇 개일까요?

식 9 + 3 = 12 답 12개

양이 6마리 있습니다. 5마리가 더 온다면 양은 모두 몇 마리가 될까요?

식 6 + 5 = 11 답 11마리

물음에 답하세요.

바구니에 딸기 7개가 있는데 6개를 더 넣으면 바구니에는 딸기가 모두 몇 개 있을까요?

식 7 + 6 = 13 답 13개

펼친 우산 8개와 접은 우산 4개가 있습니다. 우산은 모두 몇 개일까요?

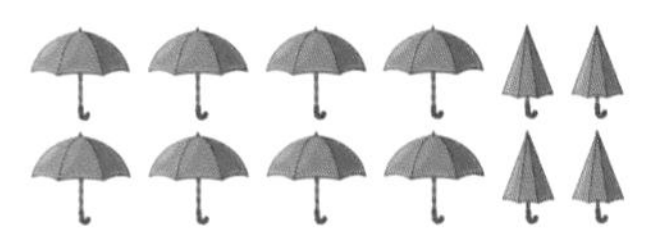

식 8 + 4 = 12 (또는 4 + 8) 답 12개

정답

64·65쪽

75일 이야기하기

월 일

물음에 답하세요.

게임말을 8번째 칸에서 5칸 더 앞으로 간다면 몇 번째 칸에 있을까요?

8번째 칸에서 5칸 더 가면 8하고 9, 10, 11, 12, 13입니다.

8 + 5 = 13 (13)번째

펭귄이 깃발 9개를 지났습니다. 3개를 더 지나면 깃발을 모두 몇 개 지날까요?

9 + 3 = 12 (12)개

병아리가 7번째 돌다리에서 6개 더 지나면 몇 번째 돌다리에 있을까요?

7 + 6 = 13 (13)번째

물음에 답하세요.

게임말을 지금까지 7칸 움직였습니다. 4칸 더 움직이면 모두 몇 칸 움직일까요?

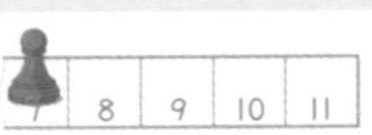

7 + 4 = 11 (11)칸

나은이가 지금까지 볼링핀을 8개 쓰러뜨렸습니다. 2개를 더 쓰러뜨리면 모두 몇 개 쓰러뜨리는 것일까요?

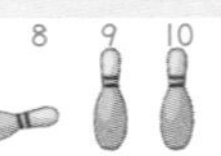

8 + 2 = 10 (10)개

토끼가 지금까지 나무 9그루를 지났습니다. 6그루를 더 지나면 모두 몇 그루 지날까요?

9 + 6 = 15 (15)그루

66쪽

물음에 답하세요.

진우는 밤을 아침에 7개, 저녁에 4개 먹었고, 선예는 밤을 아침에 4개, 저녁에 7개 먹었습니다. 진우와 선예는 밤을 각각 몇 개씩 먹었을까요?

진우 식 7+4=11 답 11 개

선예 식 4+7=11 답 11 개

은재는 색종이를 파란색 9장, 노란색 5장을 가지고 있고, 선아는 파란색 5장, 노란색 9장을 가지고 있습니다. 은재와 선아는 색종이를 각각 몇 장씩 가지고 있을까요?

은재 식 9+5=14 답 14 장

선아 식 5+9=14 답 14 장

동물원에 원숭이가 8마리 있었는데 4마리 더 들어왔고, 너구리가 4마리 있었는데 8마리 더 들어왔습니다. 원숭이와 너구리는 각각 몇 마리 있을까요?

원숭이 식 8+4=12 답 12 마리

너구리 식 4+8=12 답 12 마리

하루 한 장 75일
집중 완성

교과 연산

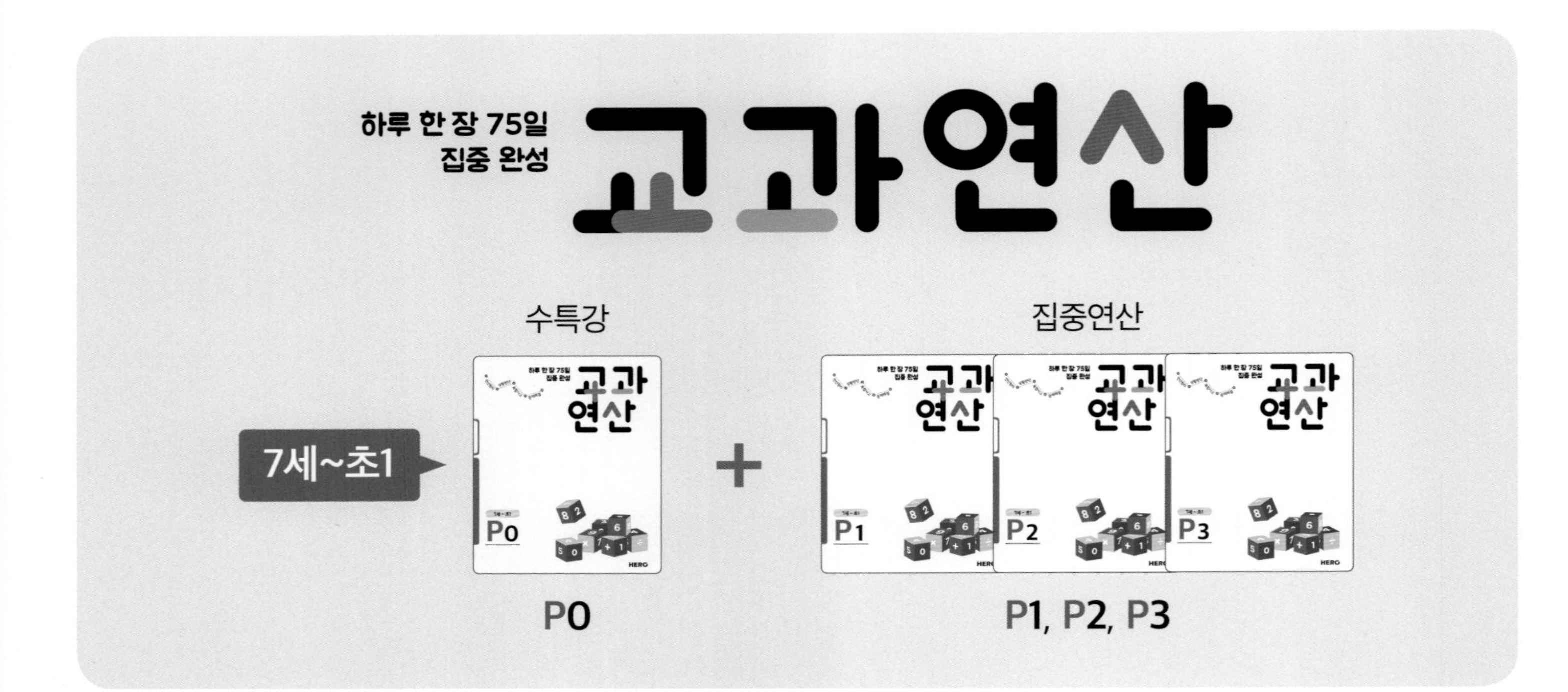

“연산을 이해하려면 수를 먼저 이해해야 합니다.”

“계산은 문제를 해결하는 하나의 과정입니다.”

“교과연산은 상황을 판단하는 능력을 길러주는 연산입니다.”